Éthique et conflits d'intérêts

La collection «Éthique publique, hors série»
est dirigée par Yves Boisvert.
Elle est rattachée à
Éthique publique,
revue internationale d'éthique sociétale et gouvernementale,
de la chaire Fernand-Dumont, INRS-Culture et société.
Ce premier numéro a été coordonné par le
Centre d'études Noël-Mailloux en éthique et en psychologie

Sous la direction de
André G. Bernier
François Pouliot

Éthique et conflits d'intérêts

Liber

Les éditions Liber reçoivent des subventions du Conseil des arts du Canada, de la SODEC et du ministère du Patrimoine canadien (PADIE).

Éditions Liber, C. P. 1475, succursale B, Montréal, Québec, H3B 3L2; téléphone: (514) 522-3227; télécopieur: (514) 522-2007; courriel: edliber@cam.org

Distribution (Canada): Diffusion Dimedia, 539, boulevard Lebeau, Saint-Laurent, H4N 1S2; téléphone: (514) 336-3941; télécopieur: (514) 331-3916; courriel: general@dimedia.qc.ca

Distribution (Europe): DEQ, Diffusion de l'édition québécoise, 30, rue Gay-Lussac, 75005, Paris; téléphone: (01) 43 54 49 02; télécopieur: (01) 43 54 39 15; courriel: liquebec@cybercable.fr

Dépôt légal: 1er trimestre 2000
Bibliothèque nationale du Québec

Présentation

Le livre que voici forme les actes du colloque «Éthique et conflits d'intérêts» qui s'est tenu à Québec le 25 novembre 1999 sous les auspices du Centre d'études Noël-Mailloux en éthique et en psychologie. Les exposés rassemblés dans les pages qui suivent ont été retouchés par leurs auteurs pour mieux répondre aux exigences d'une publication. Précisons également que leur regroupement thématique ne correspond pas au déroulement et aux ateliers de l'événement dans lequel ils se sont inscrits. Ils ont été regroupés en quatre blocs allant du général au particulier: les interpellations éthiques, l'éthique et les conflits d'intérêts au quotidien, la gestion de crises, quelques règles et codes d'éthique. Il nous a semblé qu'un tel ordre permettait de mieux mettre en valeur les différentes contributions.

Le colloque ne portait pas sur les conflits d'intérêts en général, mais bien sur ceux qui affectent l'État. Il pourrait être facile de réunir plus de trois cent cinquante personnes pour dénoncer les situations problématiques dans lesquelles se mettent à l'occasion élus et fonctionnaires. C'est une tout autre affaire de rassembler un nombre comparable de gens pour essayer de comprendre le problème et d'en proposer des mesures de prévention et de résolution. Voilà pourtant le défi que nous nous étions lancé et qui, croyons-nous, a été relevé de belle manière grâce au concours remarquable de tous les participants. Le succès de la rencontre atteste l'importance grandissante des questions éthiques et l'intérêt que leur accordent aussi bien la population en général que leurs porte-parole et les organisations publiques et parapubliques.

Pour ces dernières, elles revêtent même un caractère primordial. Les services que l'État assure sont en effet financés par les contribuables. Ceux-ci, qui sont contraints par la loi de verser leur écot, doivent avoir l'assurance que leur argent est toujours utilisé pour le mieux-être de la collectivité et qu'il n'est pas détourné au profit des personnes qui en assument la gestion. On s'attend donc à ce que l'État respecte ses obligations juridiques, réglementaires et éthiques les plus élevées en raison même de ses responsabilités collectives. Il doit veiller à prévenir, corriger et sanctionner les conflits d'intérêts, ces situations où un mandataire public (élu, administrateur ou employé) est incité à manquer à son obligation législative ou contractuelle d'agir dans le meilleur intérêt de la collectivité qu'il dessert pour agir dans son intérêt personnel.

Tout au long des débats lors du colloque et dans tous les textes de ce collectif, on sent avec insistance et détermination, comme une vague déferlant sans cesse sur le rivage, l'appel à la conscience éthique, l'exigence d'un État moral. Cela ne signifie pas, bien au contraire, le souhait d'une réglementation accrue, la demande d'un encadrement encore plus tatillon, paralysant et aliénant. On fait plutôt appel à un authentique sens de la responsabilité morale qui, par-delà les règles nécessaires, les anime et leur confère sens.

Ce qui donne peut-être à ce consensus tout son poids politique et culturel, c'est qu'il est le fait de femmes et d'hommes qui, à l'intérieur comme à l'extérieur de l'État, sont à même de l'élargir. C'est dans cet esprit en tout cas que nous avons organisé la rencontre du mois de novembre et que nous en publions aujourd'hui le résultat. Le souci éthique n'est véritable que lorsqu'il est partagé.

Nous voudrions, en terminant, remercier tous ceux et toutes celles qui ont fait du colloque un si grand succès. D'abord, toutes les personnes qui ont assisté à cette rencontre. Ensuite, les conférenciers et panélistes qui ont accepté si généreusement de partager leur savoir et leur expérience ; les présidents d'atelier : Mesdames Mary S. Lamontagne, Francine Martel-Vaillancourt, et Messieurs André Gingras et Réjean Pelletier ; les membres du comité organisateur, notamment Messieurs

Rhéal Chatelain, Pierre F. Côté et Serge Pouliot; le personnel du Centre d'études Noël-Mailloux: Madame Céline Paquet et Monsieur Mario Paré; et tous les bénévoles. Nous remercions aussi nos partenaires qu'ont été les gouvernements du Canada et du Québec, en particulier le secrétariat du Conseil du trésor du Canada, le ministre d'État à l'Éducation et à la Jeunesse du Québec, le ministre des Transports du Québec, le président du Conseil du trésor du Québec, le directeur général des élections du Canada et le vice-premier ministre et ministre d'État à l'Économie et aux Finances du Québec.

Nous désirons également remercier Messieurs Giovanni Calabrese, des éditions Liber, et Yves Boisvert, de la chaire Fernand-Dumont et directeur de la revue *Éthique publique*.

Puisse ce colloque porter tous ses fruits et être le premier d'une longue série!

ANDRÉ G. BERNIER, président du colloque
FRANÇOIS POULIOT, directeur du Centre d'études Noël-Mailloux

Le lecteur pourra consulter le site du Centre d'études Noël-Mailloux pour obtenir d'autres informations sur ses activités: http://www.centredetudes.qc.ca

PREMIÈRE PARTIE

Les interpellations éthiques

Lise Bissonnette

La culture, terreau de l'éthique

Quand le titre d'un débat se transforme en périphrase, c'est qu'il cherche une façon nouvelle de poser une question ancienne. Ainsi, demande-t-on, au-delà des règles juridiques, comment adapter les structures sociales afin de faciliter la poursuite de valeurs éthiques ? Je soupçonne qu'on veut dire : comment pourrions-nous avoir ensemble un peu de morale ? Les temps semblent si durs, d'ailleurs, que nous n'osons même plus rêver en avoir vraiment, de la morale : nous souhaitons plus modestement corriger un brin des réalités que nous savons amorales ou immorales, c'est-à-dire les « structures sociales », puisque nous reconnaissons qu'il faudrait les « adapter » si nous voulions « faciliter la poursuite de valeurs éthiques ». Et nous nous limitons, en effet, à souhaiter « faciliter la poursuite » de ces valeurs, plutôt qu'à prétendre les acquérir, comme s'il s'agissait d'un Graal insaisissable à la quête duquel nous sommes destinés à nous épuiser avec peu de chances d'y toucher un jour.

Je décortique cette périphrase sans ironie. Elle est généreuse, car elle témoigne que l'éthique, pour ce colloque, va au-delà des simples défenses : éviter les conflits d'intérêts, ne pas frauder, ne pas voler, etc. Il est bien évident que l'intégrité des corps publics, aussi essentielle qu'elle soit, n'est pas le plus grand problème éthique de la collectivité.

Aujourd'hui comme hier, et peut-être plus qu'hier, la vie en commun — les «structures sociales» — est moralement tenaillée par la persistance et même l'accentuation des inégalités. Ainsi la justice, première valeur éthique que doivent «poursuivre» les collectivités, paraît nous échapper. Voilà ce que je lis de façon subliminale dans la question qui nous est proposée.

Elle traduit une détresse que nous ressentons tous, et peut-être plus vivement que jamais puisque ce siècle, plus encore que celui des Lumières, a vécu avec intensité l'espoir d'un couplage automatique entre le progrès scientifique et le progrès moral de l'humanité. Les guerres ont beaucoup fait, hier et aujourd'hui, pour massacrer cet espoir. Mais il est durable, tenace, et le siècle se termine d'ailleurs sur une promesse analogue. Le progrès scientifique s'appelle désormais progrès technologique et nombre d'entre nous ont espéré et espèrent encore qu'en se faisant le véhicule de la communication universelle, en brisant l'isolement qui a longtemps protégé les dictatures et les tyrannies — pensons au mur de Berlin dont on attribue la chute à la révolution des communications — ce progrès technologique permettra enfin un grand bond en avant de la morale collective. Aussi vif que cet espoir est pourtant notre désarroi devant les échecs qui se profilent: l'explosion des communications a été le fer de lance de la domination de l'économisme sur toutes les autres formes, politiques, sociales, culturelles, de vie en commun. C'est la mise en réseau des économies qui a permis la création de la planète dans la planète qu'est le «marché», cette chose désincarnée, étrangère aux considérations morales. Et les dictatures et tyrannies ont appris à «pitonner» juste assez pour retrouver la sainte paix: pour peu qu'elle apprenne à s'adonner au commerce mondial par ses nouvelles voies, la Chine continue à emprisonner et exécuter les dissidents en se méritant les embrassades des plus grandes démocraties. La semi-arrestation de Pinochet paraît n'être, au fond, que le prix de consolation des cœurs sensibles.

Nous sommes d'autant plus désemparés que nous savons qu'il est possible de faire mieux, d'être moins durs les uns pour les autres, de faire collectivement le bien plutôt que le mal parce que la plupart d'entre nous sommes de la génération qui a précédé, ou vécu, ou suivi la «bulle» de prospérité d'après-guerre qui a vu naître les grands programmes de la «société juste», valeur éthique collective par excellence. Ils sont nés sous l'impulsion des États, donc grâce à la

« structure sociale » entre toutes. Ils ont suscité une large adhésion, sinon ils n'auraient même pas pu s'implanter, et surtout pas à l'échelle qui a été la leur. Pourtant la prospérité revient sans que le souci de la poursuite de la justice, de l'équité, du bien commun, réapparaisse avec autant de force.

Tout se passe comme si le terreau avait changé, et que le citoyen était plus imperméable à ce discours, à ce souci. Nombre de chercheurs affirment d'ailleurs qu'il n'y a plus à proprement parler de citoyen, qu'il a été remplacé par un consommateur, un individu auquel le progrès technologique, justement, a enseigné qu'il pouvait tirer seul son épingle du jeu, pourvu qu'il en maîtrise les nouvelles règles. Les aventures collectives lui paraissent dès lors une atteinte à sa liberté. Cela s'observe aisément, pour quelqu'un qui cherche à créer une grande institution à mission de démocratisation culturelle et qui se fait constamment dire — sornette suprême — que chacun n'aura qu'à se brancher à internet pour avoir accès aux mêmes bénéfices. Et ai-je besoin de vous rappeler le tollé qu'ont essuyé les auteurs du rapport des états généraux de l'éducation quand ils ont placé, au sommet de leurs préoccupations, la poursuite de « l'égalité des chances » dans un système pourtant « public » d'éducation ? Ils ont été qualifiés de ringards marxistes qui ne comprenaient rien à la société de l'excellence où les moins doués (lire les moins chanceux) font déjà l'objet de trop d'attention, nous nivellent par le bas. La dureté d'aujourd'hui raisonne mieux que celle d'hier, mais elle est toujours faite du même granit.

Pourtant, je ne suis pas convaincue qu'elle est aussi universelle qu'on le dit dans les cercles d'analystes inquiets et si admirables pour leur persistance à poser les dilemmes moraux que le « marché » a évacués.

Il y a quelques semaines, j'ai présidé aux travaux du jury des prix québécois de la citoyenneté. Malheureusement fort mal connus du grand public, ces prix récompensent les personnes et organismes qui travaillent au rapprochement interculturel, à la promotion des droits et libertés démocratiques, à la lutte contre l'exclusion et la marginalisation. Nous avons été sidérés, et souvent émerveillés, par la plupart des quelque cent soixante candidatures qui nous ont été proposées de partout au Québec, et en provenance des milieux les plus divers, des organisations religieuses traditionnelles jusqu'à des groupes de jeunes qui adaptent la culture hip hop ou graffiti à la création de liens solidaires, la forme la plus haute de l'éthique collective. Nous n'avions là qu'un échantillon des engagements de ce genre. Tous ou presque, ils témoignaient d'un souci de justice qui a pris la place désormais de la simple préoccupation de charité. Leur rapport à l'autre, dans la recherche d'une forme d'équité, n'a plus rien de paternaliste ou même d'arrogant; il est marqué par une intelligence aiguë des situations, par une volonté de trouver des solutions durables et d'arriver à une véritable participation ou inclusion qui change la vie des groupes ou individus qui sont la cible des actions solidaires.

Le contraste est saisissant entre cette éthique active sur le terrain et ce que j'appellerais l'éthique activiste, une agitation formelle qui cherche moins à corriger l'amoralité des rapports sociaux qu'à créer des mécanismes pour éviter les pires abus. Ces mécanismes, nous les connaissons bien, ils consistent pour la plupart à placer les considérations éthiques en fiducie de groupes ou d'individus spécialisés, en leur demandant de produire des valeurs à notre place. Je range parmi ce délestage:

– les cours d'éthique que l'on appose aux programmes universitaires (par exemple en ingénierie, en médecine, en gestion), ce qui dispense de les intégrer vraiment à l'enseignement même de la discipline, de plus en plus technique;

– la tendance croissante à remettre à des spécialistes de l'éthique le soin d'analyser nos dilemmes sociaux (leur apparition est certes un développement scientifique souhaitable, mais elle pourrait avoir comme effet pervers de nous soulager de notre responsabilité de penser ces questions par nous-mêmes);

– l'apparition de «recettes éthiques», version moderne de nos anciens catéchismes. Les codes de déontologie, bien qu'utiles, sont souvent utilisés de cette façon: tout ce qui n'y est pas explicitement interdit est permis, et la morale publique devient une simple morale formelle. Nous voyons même apparaître des recettes éthiques pour le commun, analogues aux recettes culinaires; depuis quelque temps *The Globe and Mail* propose une chronique hebdomadaire intitulée «Ethics 101», qui pose un dilemme moral et demande aux lecteurs de se prononcer. Exemple: avez-vous le droit de trouver le mot de passe de l'ordinateur de votre copain ou de votre copine et de lire en secret son courriel au risque d'y trouver des confidences sur votre relation? Le lecteur qui fait parvenir non pas la meilleure réponse mais bien la plus «imaginative» a droit à publication et gagne une édition du millénaire du jeu Scruples (Scrupules). Le *Globe* n'est pourtant pas le premier journal venu, il s'adresse à une clientèle très scolarisée. Ainsi témoigne-t-il fort bien de la réduction des dilemmes éthiques à de simples embarras de situation, qu'on peut éclairer avec des codes ou des avis en capsules;

– la démission généralisée devant l'enseignement moral, illustrée par la surprenante réaction d'une large partie de l'opinion devant les recommandations du rapport Proulx sur l'enseignement de la religion à l'école. Subitement, alors que la pratique religieuse est abandonnée, que l'Église n'a qu'un rapport ténu avec nos vies — un phénomène que les cours de religion n'ont jamais réussi à endiguer de quelque façon —, on s'insurge contre la disparition éventuelle de cet enseignement, c'est-à-dire contre la disparition du relais d'une formation que les parents ne désirent plus assumer dans toute son ampleur.

Quelle différence y a-t-il entre cette éthique toute formelle et l'éthique de la citoyenneté que j'évoquais plus haut? Je n'en vois pas de plus importante que la qualité de la réflexion des individus devant les dilemmes éthiques. Comprendre les causes des iniquités, les situer dans leur contexte, chercher des solutions adaptées et durables, cela repose sur une vision bien informée du monde et sur une conscience aiguë des enjeux, autrement dit sur une culture qui ne soit pas un artifice. Vous me voyez arriver tous phares allumés, avec mon plaidoyer pour rehausser le contenu culturel de notre vie en collectivité, et vous avez raison. Je crois fermement, comme mon ami le sociologue Dominique Wolton (*Penser la communication*, Flammarion, 1997), que l'enjeu du temps présent, de la révolution technologique, est d'en faire triompher les possibilités humanistes contre la tendance instrumentale. Cela ne passe pas par des cours de religion, de morale ou d'éthique, mais par une augmentation radicale du contenu culturel des formations que nous dispensons dans tous les ordres d'enseignement, pour que les individus aient accès aux enseignements de l'histoire, et aux meilleures réflexions sur l'humanité, à travers la fréquentation des philosophes, des essayistes, des romanciers, des dramaturges qui sont, plus que jamais, les relais de l'expérience humaine, dans un univers désormais organisé pour la rendre abstraite. Cela passe par une place accrue pour les lieux de culture, qui devraient être massivement élargis, et pour les producteurs de culture patrimoniale ou vivante. Réfléchissons un instant aux lieux que nous considérons en déficit d'éthique: les parquets de bourse, certains laboratoires scientifiques, les empires du divertissement violent et abrutissant, les marchés d'armes, n'ont-ils pas en commun d'être aussi des déserts culturels? Ils sont pourtant largement peuplés de gens scolarisés, mais — et ce n'est pas un hasard — issus d'écoles, de collèges ou d'universités où le contenu culturel de l'enseignement a été marginalisé au profit de la qualification professionnelle, c'est-à-dire instrumentale.

Je n'ai guère d'illusion sur le sort que pourrait connaître ma version de «l'adaptation des structures sociales afin de faciliter la poursuite de valeurs éthiques». Je vous remercie de m'avoir donné néanmoins l'occasion de la formuler.

Pierre Marc Johnson

Pour une recherche commune en éthique

Que puis-je dire de l'éthique, moi qui ne suis ni éthicien ni historien ni anthropologue? Peu de choses sans doute. Mais la vie m'a permis depuis quelques années de voir de près un certain nombre de réalités significatives à cet égard, en médecine, dans ma pratique du droit ou, avant, dans ma fréquentation du monde politique et des services publics. Parler d'éthique, c'est d'abord parler de liberté bien sûr, et surtout de celle des autres.

On peut, me semble-t-il, décomposer l'éthique en un certain nombre de dimensions, celles dans lesquelles la société les offre : l'éthique dont on parle aujourd'hui, puisque nous parlons de son application dans les pouvoirs publics, n'a que peu à voir avec celle des contemplatifs.

La première dimension est de nature législative et juridique. En manière de plaidoyer *pro domo*, puisque je suis avocat, je dirai que le cadre juridique est d'une grande utilité. Un tel cadre a l'avantage de jeter de la clarté sur des objectifs qui font consensus, consensus qui a été atteint à travers le processus même de la vie commune en démocratie. Ceux qui sont soumis à ce cadre juridique font en somme l'expérience d'un univers partagé. Ce cadre leur assure une certaine sécurité en raison de la prévisibilité des comportements qui l'accompagnent et dégage une zone claire d'intervention à leur liberté quand il s'agit de contester des pratiques.

La seconde dimension de l'éthique est celle des codes de conduite. Ces codes comportent certes de nombreux inconvénients. Leur multiplication, leur variété, leurs textures différentes, la fluctuation des termes mêmes dans lesquels ils sont rédigés, le caractère vague des uns inutilement tatillon des autres, tout cela contribue souvent à ralentir les processus décisionnels, particulièrement dans les secteurs publics et parapublics. Cependant, ils touchent à l'essentiel et au fondamental du sujet qui nous occupe, dans la mesure où ils cernent des situations problématiques, par exemple les conflits d'intérêts, et surtout qu'ils fixent les limites au champ de l'intervention, à l'aire de discrétion des décisions de ceux qui ont une charge publique. Pour s'en convaincre, il suffit de penser à ce domaine où s'exerce la répression légitime de l'État, les services policiers : peut-on imaginer un service policier dans une société démocratique sans code d'éthique ? Même si le service public ne relève qu'à la marge d'enjeux comparables, il n'en demeure pas moins que l'ensemble des actions de l'État, en raison de la finalité de celui-ci, devraient être encadrées par cet effort de rationalisation éthique qui vient avec les codes. Il devrait en être de même pour l'ensemble de la fonction publique. Il est intéressant de voir que dans le secteur de la santé, on élabore maintenant des codes d'éthique auxquels se soumettent les établissements.

Pourquoi des codes d'éthique ? Je pense qu'il y a deux raisons principales. Premièrement, ils répondent au souci commun d'encadrer de la façon la plus adéquate possible la relation entre des êtres humains sur la base du respect de la dignité. Deuxièmement, ils viennent compenser une perte de pouvoir des dirigeants du système : en effet, la négociation pendant quarante ans dans le secteur public et parapublic a réduit de façon significative le véritable pouvoir de gérance des directions d'établissements, qui consiste à imposer au personnel des comportements (par exemple, le directeur d'établissement ne peut imposer à son personnel de vouvoyer ne serait-ce que les patients âgés). Cela dit, on aurait tort de penser que les codes d'éthique n'ont ici qu'une fonction de réponse à ce type de contrainte : ils peuvent aussi servir à éduquer, impliquer et même mobiliser les personnes et ainsi favoriser l'expression des valeurs qu'on retrouve à la source des codes d'éthique.

La troisième dimension de l'éthique est de l'ordre du sens. Cependant, avant d'aborder cette composante plus floue de l'éthique, écartons du sens de l'éthique un aspect à mon avis dangereux et piégé de l'exercice de fonctions publiques dans une société de citoyens et que j'appellerai l'«éthique implicite». C'est celle que l'on retrouve dans l'adhésion à des valeurs fondées sur la religion, l'appartenance à un groupe public ou non. Je dis dangereux, parce que de tels choix purement personnels, qui peuvent relever de la religion ou de l'idéologie, ne doivent pas s'interposer dans la relation entre le citoyen qui réclame un service auquel il a droit et celui qui le dispense.

Le sens authentiquement éthique se révèle dans la nécessité, pour ce qui est de la fonction publique, d'un comportement objectif, neutre, honnête, d'une attitude de traitement égal. L'exemple de la médecine est ici instructif. Les comportements, les attitudes, les façons de faire qu'on adopte dans la pratique médicale ont en général un fondement relativement simple à comprendre : l'autonomie du patient, c'est-à-dire sa capacité à faire des choix et décider de lui-même. L'éthique médicale est fondée là-dessus. Pourquoi? Parce que, depuis qu'il existe des sorciers de village — ce que sont encore les médecins à bien des égards —, l'histoire nous démontre que le pouvoir qui découle de la connaissance donne au médecin un ascendant énorme sur son patient, et que la liberté du patient peut s'en voir limitée. Et la profession médicale, grâce à une longue tradition de préoccupations institutionnalisées, a mis au centre du comportement professionnel, du moins formellement, le respect de la dignité et de l'autonomie des personnes. Elle a donc réussi à développer une culture et des comportements éthiques qui vont bien au-delà du code et évidemment de la loi : voilà le propre de l'éthique.

Or, quel est, en ce qui concerne la fonction publique, son fondement clair, sinon l'idée de service public? Certes, le service public est un concept à géométrie variable en ceci que la fonction publique exerce son activité dans un cadre élaboré ou dirigé par des politiques qui changent dans le temps comme dans l'espace, dans leurs priorités, leurs approches, et les attitudes et comportements qui en découlent. Tout cela n'a pourtant pas empêché qu'on en arrive à un consensus autour de notions comme la transparence, l'imputabilité de gestion intelligente et ouverte, l'évitement des conflits d'intérêts, les limites à apporter au pouvoir discrétionnaire, l'encadrement de l'exercice du pouvoir des fonctionnaires et des politiques.

Le traitement équitable et non discriminatoire de celui avec qui l'on est en relation est central dans l'appréciation du sens de l'éthique.

On peut bien sûr retrouver tout cela dans les codes, mais il importe davantage sans doute qu'on le retrouve dans les réflexes, dans la culture et dans la façon d'agir de tous les jours. Il me semble, en tout cas, que le réflexe et le conditionnement éthiques comptent autant que le code et la loi. Et pour y être sensible, il faut en principe y être éduqué.

La dernière dimension constitutive de l'éthique me permettra de renouer avec l'idée de liberté. Comme on sait, il naît dans nos sociétés toutes sortes d'idéologies, de courants de pensée qui s'organisent au nom de l'éthique. Il ne faut pas confondre idéologie et éthique. Ainsi, tel mouvement plus conservateur, plus à droite, comme on dit, réclame la constitutionnalisation du droit de propriété au nom de la liberté du citoyen de s'approprier et de jouir des fruits de sa propriété. Tel autre s'oppose à la législation sur le port d'armes également au nom de la liberté, à la ceinture de sécurité obligatoire encore au nom de la liberté, à la vaccination obligatoire ou même à la transfusion sanguine de son propre enfant en danger, toujours au nom de la liberté. À l'autre bout du spectre idéologique, on retrouve la défense des droits absolus des animaux, au nom, encore une fois, de la liberté, comme si les oiseaux, les porcs et les chevaux pouvaient se réunir pour transmettre leurs exigences à de tels groupes de pression.

C'est un devoir bien humain que de définir ce qu'est la liberté et d'encadrer l'expression des conflits qui se déclarent en son nom dans les sociétés. Les débats autour de ce qui est «éthique» masquent souvent des intérêts. Il en est ainsi, par exemple, dans la question sur les aliments issus des technologies transgéniques — pratiques, soit dit en passant, qui ne datent pas d'hier. Le refus formel opposé par les uns à ces produits peut avoir des fondements scientifiques ou traduire une inquiétude, mais derrière on pourra souvent retrouver un intérêt comme celui des producteurs agricoles qui se voient perdre des marchés. Mais ceux qui se font les défenseurs de techniques de transgénécité et de la liberté de circulation des aliments issus de la transgénécité défendent aussi des intérêts économiques. Il y a derrière les débats «éthiques» souvent un intérêt et non plus une recherche de liberté.

Pourquoi ces phénomènes naissent-ils et nous accaparent-ils? Pourquoi le développement des idéologies prend-il aisément le nom d'«éthique» depuis quelques années? C'est parce que nous vivons dans un monde qui nous déstabilise et que, chaque fois que les civilisations traversent des périodes d'instabilité, on recherche une nouvelle morale. La porosité des frontières aux capitaux et à la circulation des biens, la communication instantanée qui existe à travers le monde, l'anonymat dans lequel on ouvre et ferme les usines, les préoccupations sur l'efficacité budgétaire des États, ont amené essentiellement deux phénomènes de déstabilisation de notre tranquillité. D'abord, une concentration sans pareil de la richesse entre les mains de pouvoirs souvent impossibles à identifier, et, quand ils sont identifiés, impossibles à maîtriser: comme si la responsabilité de ce qui nous affecte devenait insaisissable. Ensuite, une remise en question de la légitimité de l'exercice du pouvoir de l'État. En ne dispensant plus les services qu'il donnait, l'État ouvre la porte à la contestation de sa légitimité aux yeux des citoyens qui tous les jours constatent que leurs attentes sont déçues. Les citoyens cherchent ailleurs des réponses à la satisfaction de leurs besoins dans un contexte où l'individualisation des préoccupations et la décollectivisation des aspirations les forcent à se retourner sur eux-mêmes: ils sont alors à la recherche d'une nouvelle morale.

Il y a une vingtaine d'années, j'ai vu le film *Et la tendresse, bordel!* C'était un cri qui, en plein milieu de la révolution sexuelle, voulait faire appel aux dimensions affectives des relations d'intimité. Je dirais que le cri pour l'éthique, dans le contexte de la mondialisation, est du même ordre. Il y a un sentiment profond d'aliénation dans nos sociétés. La recherche d'une réflexion éthique dans notre vie au quotidien et dans le substrat social qui la porte, c'est en fait un peu ce cri du cœur: les humains savent fort bien qu'on ne peut vivre sans un minimum de solidarité sociale, sans une volonté actualisée de partage.

La recherche de justice constitue ici la toile de fond de la définition d'un cadre éthique collectif qui va bien au-delà de la loi, des codes et du réflexe éthique. On ne peut concevoir ce type de recherche d'une éthique dont l'ancrage est dans la société elle-même sans que ce ne soit une œuvre collective: mais alors on se rapproche ici de l'idéologie et de la politique. Comme dans les choix de vie et de mort qui se posent tous les jours en éthique biomédicale, la recherche d'une direction éthique des activités collectives ne saurait s'effectuer sans des travaux de groupe, beaucoup d'ouverture, des débats et même des confrontations. Et c'était précisément l'objet de la démarche de ce colloque.

Pierre Lucier

Une voix pour Antigone

Je ne suis pas le premier à le noter, on parle beaucoup d'éthique. Le mot sert souvent de passe-partout; il fait bien. Je ne dis pas cela pour ironiser, au contraire, c'est déjà une bonne chose que d'en parler. Cela signifie qu'il y a un souci commun qui émerge. L'engouement pour l'éthique est quand même étonnant. D'une part, parce que le mot n'est après tout qu'une autre façon de dire «morale», dont nous avons pourtant fait quelques indigestions par le passé; d'autre part, parce que l'accord qui semble se faire autour de l'idée éthique porte à croire que notre société en est une de très haute moralité. La chose mériterait un examen approfondi. Quoi qu'il en soit, je crois que cette diffusion du mot et des questions qui l'accompagnent devrait nous inviter à cerner le *registre d'expérience* qui est proprement éthique. C'est ce que je veux aborder en premier lieu.

L'expérience éthique, me semble-t-il, est une des expériences humaines les plus fondamentales. Probablement une de celles auxquelles on accède le plus lentement, vers laquelle la maturation est la plus longue. En tant qu'expérience de la conscience, personnelle ou collective, elle est caractérisée, pourrait-on dire, par cette tension vers ce qui nous apparaît comme devant être fait ou évité, non pas parce qu'on nous dit que c'est bien ou que c'est mal, mais parce que nous sentons qu'il est bon de faire cela ou de ne pas le faire, parce que nous sentons qu'il est préférable de faire cela dans la seule perspective de la réussite ou de l'accomplissement d'une vie authentiquement humaine.

Il n'y a rien de plus merveilleux que de voir l'éveil progressif de la conscience morale chez les enfants et chez les adolescents. De manière générale, on observe que les comportements des jeunes enfants sont très souvent marqués, au point de départ, par le rapport à l'autorité, parfois en fonction d'une récompense, parfois par crainte d'une punition. Ce n'est pas simple et ce n'est pas rapide que d'accéder au sentiment intime que quelque chose mérite d'être fait, qu'il est mieux de faire telle chose plutôt que telle autre, non pas parce que cela profite, non pas parce qu'on y trouve quelque intérêt, non pas parce qu'on a peur de la sanction, ou qu'on veut une récompense, mais parce qu'on sent que c'est mieux de faire cela. Et ce sentiment-là est accompagné d'un autre, aussi fondamental, qui est que je me juge ainsi ultimement, globalement, comme être humain, en m'orientant de telle ou telle façon. C'est dire que le registre de l'éthique est d'emblée le registre de la liberté et de la décision. S'il n'y a pas de liberté, il n'y a pas d'éthique. Là où il y a pure coercition, il n'y a pas de problème éthique, et là où il n'y a pas de décision à prendre, il n'y a pas non plus d'angoisse éthique. L'éthique, contrairement à ce qu'en dirait une définition étroite, se situe bien au-delà de la conformité à la norme. On l'a vu dans l'histoire de la pensée, tous les extrinsécismes moraux finissent par se transformer en coercition ou en conformisme. Et cela, ce n'est plus dans l'ordre éthique.

Je pense, d'autre part, que c'est un faux débat de se demander si le sentiment de ce qui mérite d'être fait est de nature subjective ou objective. Car, même s'il s'agit de valeurs objectives qui semblent s'imposer à moi, il faut toujours que je les fasse miennes. D'ailleurs, même les morales les plus traditionnelles, les plus classiques, les plus fermées, ont toujours parlé du primat de la conscience et, dans nos sociétés, on reconnaît encore justement ceux qu'on appelle les «objecteurs de conscience». Inversement, même s'il s'agit de choix subjectifs personnels, un des traits de l'expérience morale, c'est la conviction que «ce que je trouve bon est bon»; il y a une espèce d'inconditionnalité qui est rattachée à l'objet de l'expérience éthique. On se rend bien vite compte que les repères de moralité tournent toujours autour de la dignité de la personne humaine, ce qui n'est pas un hasard: c'est que la personne humaine est un sujet éthique justement, un sujet de liberté, qui a conscience du bien commun, puisqu'il y a plusieurs libertés qui ont à vivre ensemble. On a vu, dans l'histoire de la pensée, de multiples expressions de cette recherche, de ce niveau d'expérience, au-delà de l'esthétique, au-delà de la rationalité. L'expérience éthique se déroule dans une zone qui est toujours de clair-obscur, une zone d'angoisse aussi, parce qu'on n'y est pas dans l'ordre des évidences, même si les choses finissent par s'imposer à nous avec la force de l'évidence.

Poser la question éthique à ce niveau nous élève enfin au-dessus des perspectives qui se limiteraient à la concevoir en termes de respect de normes, de codes, de règles, voire d'étiquette — ce qui ne serait en fait, si vous me permettez le jeu de mots, qu'une «éthiquette», une éthique étriquée.

Y a-t-il des structures sociales qui favorisent l'éclosion de ce sentiment partagé de l'éthique? Je dirai très simplement qu'il me semble que c'est fondamentalement une affaire d'éducation. Si l'éducation ne réussit pas à faire éclore chez les individus ce sentiment, c'est qu'elle est pour une bonne part un échec. Mais il faut pouvoir compter également sur le discours public — le discours politique ne peut pas faire abstraction de ce niveau de réalité — et sur la responsabilité citoyenne. Il faut que les gens puissent en parler.

J'ai donc la conviction que l'éthique est bien au-delà des règles et des codes. Et si cela est vrai, si cela a quelque fondement, ce dont je suis persuadé, je crois que ça nous invite à un autre élargissement, du côté des *objets de l'éthique* celui-là. Ce sera le deuxième volet de mon propos.

Actuellement, j'observe, avec beaucoup d'autres, que le terrain de l'éthique publique est passablement occupé: d'une part, par des questions de conflits d'intérêts (on s'est donné un certain nombre de structures pour cela, il y a des codes d'éthique dans toutes les organisations, nous sommes, tous tant que nous sommes, obligés d'en élaborer et de nous y tenir); d'autre part, par des questions de bioéthique, qui se prolongent là aussi dans des déclarations, dans des codes. Dans le monde universitaire, tout ce qui concerne la recherche est à cheval, pour ainsi dire, sur ces deux thèmes. Il y a une question d'intégrité par rapport aux comportements à l'égard des commandites, par exemple, et il y a des questions éthiques qui sont soulevées par les domaines d'intervention sur le vivant. On ne fait pas n'importe quoi en recherche avec des vivants.

J'oserais dire que c'est assez élémentaire comme objet. Il faut s'y attarder, bien sûr, mais il me semble qu'on est là à un niveau qui nous rappelle presque deux articles du bon vieux décalogue : tu ne tueras point, tu ne voleras point. Il me semble qu'on n'est pas là dans un domaine de très grande angoisse. À la limite, on peut même penser que la prolifération des codes va conduire à une certaine coercition et à un certain contrôle des comportements. On y vise à supprimer les abus et on veut surtout, comme organisation, éviter d'être pris dans des histoires impossibles. Mais cela demeure un aspect élémentaire — ce qui ne veut pas dire secondaire, cela soit dit sans jeu de mots — de la conscience éthique. Il me semble qu'il faut élargir la perspective et considérer tout le champ des décisions personnelles, politiques, corporatives, gouvernementales, tout ce qui influe sur la vie des gens.

Il y a actuellement dans nos sociétés d'énormes enjeux et des décisions importantes à prendre qui devraient être considérés sous l'angle éthique et qui, à mon avis, ne le sont pas suffisamment. Je pense ici, par exemple, à tout ce qui tourne autour de la mondialisation avec tout ce que cela emporte de nouveaux phénomènes d'exclusion. À qui profite la mondialisation ? Il y a des questions éthiques derrière cela, comme il y en a derrière les questions relatives à l'environnement, au développement durable ; derrière celles qui concernent la prolifération des valeurs marchandes, le profit à tout prix ; derrière celles qui concernent l'accès (accès à l'éducation, accès aux soins de santé, accès à la culture), la pauvreté, celle des enfants et celle des autres, les ruptures entre générations et les blocages imposés aux générations montantes, le déficit zéro ou l'utilisation des surplus budgétaires, le commerce des armements, les clauses «orphelin», ce que nous faisons actuellement dans nos systèmes de services publics, tout ce qui se passe autour de l'assurance emploi et je vous ferai grâce des loteries et jeux publics. Dans tous ces domaines se posent des questions éthiques. Et elles sont considérables. Mon souhait, c'est que nous dépassions le seul secteur des conflits d'intérêts où les choses sont finalement réductibles à deux ou trois vérités de base, à deux ou trois comportements, pour entrer sur le terrain des grands enjeux éthiques. Il ne faudrait pas que nos institutions publiques, celles que nous portons démocratiquement, prennent sans crier gare le relais d'autres forces qui imposent des valeurs (du moins, il ne faudrait pas le faire sans qu'on le sache).

Pour que cela se réalise, il faut compter sur une responsabilité citoyenne et sur une responsabilité politique. Il faut aussi pouvoir disposer de lieux où on puisse discuter, débattre, dialoguer. Je crois qu'il faut multiplier ces lieux. Il faudrait aussi inviter les partis politiques et les gouvernements à être un peu plus explicites sur les valeurs qui orientent leurs programmes, me semble-t-il.

Je conclurai en exprimant un sentiment qui me semble partagé par beaucoup, à savoir que, derrière la diffusion du discours et de la préoccupation éthiques actuels, il y a quelque chose comme une protestation citoyenne. Il y a quelque chose comme le cri d'Antigone, qui allait jusqu'à défier les lois écrites pour être fidèle aux lois non écrites. Une espèce d'appel, me semble-t-il, à des valeurs qui nous permettraient de nous dégager de l'emprise croissante de pouvoirs dont nous ne voulons pas totalement. Il me semble que le débat éthique doit pouvoir donner une voix à Antigone.

Jacques Dufresne

Pour une éthique réaliste

Dans ma réflexion sur les conflits d'intérêts, je suis remonté jusqu'aux origines de l'État de droit et jusqu'à Solon, l'homme qui a pensé et écrit la première constitution, dont on peut dire qu'elle a au moins tempéré l'empire de la force par le règne de la justice. Sur le chemin du retour vers le présent, j'ai consulté Richelieu et Thomas More avant de me heurter au mur de l'éthique, ce mur qu'on nous présente en ce moment comme une porte ouverte sur le progrès moral.

Saviez-vous que Solon, ce législateur vénéré de Platon et d'Aristote, a été accusé de son vivant de conflit d'intérêts? Solon a écrit sa constitution, sous la forme d'un poème, au début du sixième siècle avant Jésus-Christ. Au cours des deux siècles précédents, les grands propriétaires terriens de l'Attique avaient abusé de leur pouvoir au point de réduire fréquemment à l'esclavage les petits propriétaires qui n'arrivaient pas à payer leurs dettes. L'une des lois imposées par Solon fut une ordonnance portant sur l'effacement de toutes les dettes relatives à la terre. Voici ce que raconte Plutarque à ce sujet: «Cette ordonnance lui attira le plus fâcheux déplaisir qu'il pût éprouver. Pendant qu'il s'occupait de cette abolition, qu'il travaillait à la présenter sous les termes les plus insinuants, et mettre en tête de sa loi un préambule convenable, il en communiqua le projet à trois de ses meilleurs amis, Conon, Clinias et Hipponicus, qui avaient toute sa confiance. Il leur dit qu'il ne toucherait pas aux terres, et qu'il abolirait seulement les dettes. Ceux-ci, se hâtant de prévenir la publication de la loi, empruntent à des gens riches des sommes considérables, et en achètent de grands fonds de terres. Quand le décret eut paru, ils gardèrent les biens, et ne rendirent pas l'argent qu'ils avaient emprunté. Leur mauvaise foi excita des plaintes amères contre Solon, et le fit accuser d'avoir été non la dupe de ses amis, mais le complice de leur fraude. Ce soupçon injurieux fut bientôt détruit, quand on le vit, aux termes de sa loi, faire la remise de cinq talents qui lui étaient dus, ou même de quinze, selon quelques auteurs.»

Le conflit d'intérêts est inscrit dans l'acte de naissance de l'État de droit et par suite de la démocratie. Faut-il s'en étonner? Le seul fait de pouvoir nommer le conflit d'intérêts, d'en prendre conscience, est le signe d'une vie politique déjà profondément imprégnée par le souci de la justice. Il n'y a pas de conflits d'intérêts là où la loi se confond avec l'intérêt du plus fort. Ce dernier n'est jamais en conflit avec lui-même. La vivacité avec laquelle les citoyens athéniens dénoncèrent le geste des amis de Solon est la preuve que ces citoyens étaient passionnément attachés à cette justice dont le règne était enfin arrivé pour eux.

Solon attachait autant d'importance à l'amitié qu'à la justice. Occasion pour nous de redécouvrir que le conflit d'intérêts est souvent la conséquence des exigences contradictoires de l'amitié et de la justice. Il va de soi qu'on est plus généreux à l'égard de ses amis qu'à l'égard de parfaits inconnus. Quand on est chef d'État ou haut fonctionnaire, la justice exige cependant que l'on répartisse faveurs et privilèges équitablement.

L'amitié ne se réduit pas au rapport entre deux personnes. Elle est aussi cette *philia*, ce souci de l'autre qui fait les communautés, les véritables cités. Pour donner un nouveau soutien à la faiblesse du peuple, Solon permit à tout Athénien de prendre la défense d'un citoyen insulté. Si quelqu'un avait été blessé, battu, outragé, le plus simple particulier avait le droit d'appeler et de poursuivre l'agresseur en justice. Le législateur avait sagement voulu accoutumer les citoyens à se regarder comme membres d'un même corps, à ressentir, à partager les maux les uns des autres. On cite de lui un mot qui a rapport à cette loi. On lui demandait un jour quelle était la ville la mieux policée: «C'est, répond-il, celle où tous les citoyens sentent l'injure qui a été faite à l'un d'eux, et en poursuivent la réparation aussi vivement que celui qui l'a reçue.»

Il faut donc veiller à ce que le règne de la justice ne porte pas atteinte au capital d'amitié d'une société. Le bon gouvernement est celui qui sait trouver la juste mesure entre le respect des exigences de l'amitié et le respect des exigences de la justice. Il évite que la justice ne se réduise à des normes abstraites et impersonnelles, mais il veille avec autant de soin à ce que l'amitié ne dégénère pas en favoritisme systématique.

On pourrait dire, je pense, que le Québec de Duplessis était menacé par le second excès tandis que le Québec actuel est plutôt menacé par le premier.

Vous me direz que de telles considérations sont vraiment trop vagues pour être de quelque utilité. Je suis au contraire persuadé que nous aurions intérêt à repenser nos lois et règlements à la lumière des principes que je viens d'évoquer. L'avènement de l'État baby sitter, la création d'un service de garde bureaucratique, centralisé, professionnalisé, en lieu et place des solutions conviviales que la population avait trouvées spontanément est contraire aux exigences de l'amitié.

Je ne suis pas sûr que, si l'on avait le souci de cette amitié, l'on continuerait à dénoncer le travail au noir comme on le fait en ce moment. Tel qu'il se pratique entre voisins un peu partout dans le monde, et au Québec en particulier, le travail au noir accroît le capital d'amitié. Et il n'est pas ressenti comme une injustice parce que tout le monde en profite. Tout le monde sait aussi que le revenu supplémentaire tiré du travail au noir sert le plus souvent à l'achat d'un litre d'essence ou d'un litre de vin, lequel rapportera davantage à l'État que ne l'eût fait un impôt sur le revenu correspondant.

Mais puisque l'impôt sur le revenu est si souvent une occasion de tricherie pourquoi ne pas le remplacer par des taxes de ventes et des taxes sur les revenus et services? Solon, ici encore, a indiqué la voie à suivre: «Je ferai des lois si conformes aux intérêts des citoyens, qu'ils croiront eux-mêmes plus avantageux de les maintenir que de les transgresser.»

J'ai poursuivi ma réflexion sur les conflits d'intérêts en compagnie d'un autre grand législateur et homme d'État qui n'est pas étranger aux lois de ce pays: le cardinal de Richelieu. Le fonctionnaire incompétent, écrit-il dans ses Mémoires, est plus dangereux pour l'État que le fonctionnaire corrompu. On me pardonnera d'avoir traduit le mot «facile» par incompétent. Voici le texte: «Je ne puis passer en cette rencontre sans dire ce que Ferdinand, grand-duc de Florence, qui a vécu de notre temps, disait à ce propos qu'il aimait mieux un homme corrompu, que celui dont la facilité était extrême, parce que, ajoutait-il, le sujet corrompu ne se peut pas toujours laisser gagner par ses intérêts, qui ne se rencontrent pas toujours, au lieu que le facile est emporté de tous ceux qui le pressent, ce qui arrive d'autant plus souvent qu'on connaît qu'il n'est pas capable de résister à ceux qui l'entreprennent» (*Œuvres* du cardinal de Richelieu, Paris, Plon, 1933, p. 33-34).

Tout se complique soudain. Nous voyons apparaître un conflit entre le bien ou l'intérêt de l'État et les principes. L'État est souvent mieux servi par le fonctionnaire qui s'écarte des principes que par celui qui les respecte scrupuleusement mais dont c'est là l'unique compétence. D'où la tentation d'aller vers l'un ou l'autre des deux excès suivants: fermer les yeux sur l'incompétence du fonctionnaire irréprochable, tout permettre au fonctionnaire compétent. Il m'a toujours semblé qu'au Québec nous sommes plus menacés par le premier excès que par le second.

Comment se maintenir dans le juste milieu? Richelieu nous donne une partie de la réponse: «Il est normal, écrit-il, qu'un ministre veille sur sa fortune en même temps que sur celle de l'État.» Il lui eût été bien difficile d'écrire autre chose dans ses Mémoires. Ce qui nous amène à faire une distinction entre la corruption productive et la corruption purement lucrative. Prélever, pour son usage personnel, un pourcentage élevé sur toutes les ventes de pétrole dans un pays, comme on le fait de façon routinière dans bien des pays pauvres, voilà un exemple de corruption exclusivement lucrative. Un individu s'enrichit, mais le pays s'appauvrit, du moins si, comme les choses se passent en général, le profiteur utilise son argent pour acheter des biens de luxe produits à l'étranger. Une telle pratique a au moins le mérite d'être grossière, facile à éliminer pour tout chef d'État qui déciderait de le faire. Je la trouve moins vicieuse que les pratiques hypocrites, légales, savantes même dont on a l'habitude dans les pays comme le Canada, qui se classe parmi les premiers au palmarès de l'honnêteté. Je songe à ce haut fonctionnaire d'Ottawa qui, sous l'autorité de Marc Lalonde, alors ministre, avait préparé le projet de loi sur le financement de la recherche et du développement par la réduction de l'impôt des entreprises. La compagnie Olympia and York, de Toronto, gagna cinq cents millions de dollars grâce à la nouvelle loi. Six mois plus tard, le haut fonctionnaire législateur devenait vice-président d'Olympia and York. Dans les pays riches, on pratique ainsi la corruption à retardement. Mais cette corruption extrême elle-même aura peut-être été productive, comme celle qui consiste, pour un ministre ou un fonctionnaire, à inciter un ami à exploiter un gisement minier que l'on vient de découvrir, avec promesse de subvention, et de la part de l'entrepreneur la promesse d'un soutien au parti, à condition bien entendu que l'entrepreneur soit compétent. Le favoritisme pratiqué par celui qui est entouré d'amis compétents peut ainsi être une excellente façon de servir l'État.

Le conflit entre les principes et l'intérêt de l'État prend des proportions beaucoup plus inquiétantes dans les échanges avec les autres pays. Tout pays qui veut faire sa marque dans le monde doit avoir à son service des intermédiaires de haut vol, à la fois élégants et peu scrupuleux, qui sauront poser les gestes nécessaires à l'obtention de contrats importants tels que la construction d'un métro ou la gestion de l'eau dans une grande ville étrangère. Dans la mesure où ils ne retiennent pour eux-mêmes que ce qui est nécessaire à l'exercice de leurs fonctions, ces intermédiaires méritent d'être considérés comme de bons serviteurs de l'État. L'État qui profite de leurs services n'en a pas moins l'obligation de multiplier les efforts pour relever le niveau de la moralité publique partout dans le monde.

Mais la pire pratique et hélas aussi la plus répandue, la plus universelle, est celle qui consiste à créer des situations corruptrices par la façon dont on conçoit et applique les lois. Le mode de rémunération des médecins, le paiement à l'acte, est l'exemple parfait de ce que j'appelle « situation corruptrice ». J'avais noté de semblables occasions de péché dans le mode de rémunération des avocats de l'aide juridique. Examinée à la lumière de ce critère, bien des conventions collectives apparaissent comme des instruments pour corrompre les plus honnêtes gens. On en vient à la conclusion que la meilleure façon pour l'État de réduire la corruption c'est de réduire ses dépenses, toute dépense étant susceptible de créer une situation corruptrice.

J'arrête ici l'exposé de nos turpitudes. Chacun ayant sa petite part de la corruption généralisée, l'ensemble de la société ne s'en tire pas si mal. Et comme nous sommes travailleurs et entreprenants, la proportion de corruption productive est plus grande que celle de la corruption lucrative.

J'ai voulu mettre en relief que la contradiction est au cœur du phénomène sur lequel nous réfléchissons. J'ai dégagé deux contradictions : contradiction entre les exigences de l'amitié et celles de la justice, contradiction entre les grands principes et l'intérêt de l'État. J'aurais pu en dégager plusieurs autres.

La bonne administration, en même temps que la vertu, consiste à garder une conscience vive de la contradiction et à tirer de cette conscience même le discernement qui va permettre de satisfaire aux exigences de l'un des termes de la contradiction en s'éloignant le moins possible des exigences de l'autre.

Solon, Marc-Aurèle, Thomas More sont des modèles sur ce plan. Au moment où il était sous-chérif de Londres, Thomas More a dû étouffer une émeute née d'une banale querelle entre commerçants. Après avoir eu le courage de foncer à cheval parmi les émeutiers, après avoir ramené le calme par le respect que sa personne et sa réputation imposaient, il dut dresser la liste des crimes commis. Mais les châtiments prévus pour ces crimes lui paraissant démesurés dans bien des cas, il alla lui-même, tout juge qu'il était, implorer la grâce du roi parmi les femmes et les enfants en pleurs. Quand il fut ensuite chancelier, Thomas More aurait pu s'enrichir à la fois démesurément et impunément. Il ne s'enrichit qu'avec mesure et pratiqua la charité avec démesure. Et quand sa conscience l'obligea à s'opposer à Henri VIII par crainte des conséquences qu'aurait l'éclatement du catholicisme en Europe, il accepta la mort.

Dans l'ordre moral, comme dans l'ordre intellectuel, c'est la contradiction vécue douloureusement qui est la condition de l'élévation, de la purification. C'est cette aptitude à tirer profit de la contradiction pour accroître son discernement et sa pureté, ou sa compassion, que le fonctionnaire ou le futur fonctionnaire doit apprendre à cultiver.

Hélas, cette approche, parce qu'elle repose sur une démarche personnelle et intérieure, parce qu'elle ne donnera jamais aucun résultat sensationnel, ni même mesurable, parce que ses effets positifs mettent du temps à se manifester, ou tout simplement parce que nous ne croyons pas à la vertu, cette approche, dis-je, ne trouve pas preneur.

On lui en préfère une autre, bien dans l'esprit du temps : le recours à la technique. Au lieu, comme il conviendrait, que ce soit une morale fondée sur des principes qui permette à l'humanité de maîtriser la technique, c'est plutôt la technique qui, par le moyen d'une éthique relativiste, envahit la sphère morale.

L'éthique est de plus en plus à la mode, comme le prouve la multiplication des chaires sur ce sujet dans les universités de même que celle des ouvrages et des revues spécialisées sur la question. Il ne faut pas s'en réjouir. Tout succès d'une cause noble en apparence me rappelle ce mot de Nietzsche : « Lorsqu'une grande vérité triomphe sur la place publique, c'est signe qu'un grand mensonge a combattu pour elle. »

Parmi les nombreux mensonges qui expliquent le triomphe de l'éthique, il y a celui de la division des tâches dans l'ordre moral. Dans les entreprises et les institutions publiques, il y a des spécialistes de l'éthique, à côté des chercheurs, experts en marketing, avocats, etc. Il en résulte de la part des autres experts une tentation très forte à s'en remettre, pour ce qui est de la dimension morale de leurs actes, à l'expert du bureau voisin plutôt qu'à leur propre conscience.

Je vais prendre un exemple dans un domaine que je connais un peu, celui des industries pharmaceutiques et biotechnologiques. Dans ce domaine comme dans tous les autres, les chercheurs ont pour règle de ne pas s'imposer à eux-mêmes de limites d'origine morale dans leur exploration du réel. Vous ne verrez jamais un chercheur s'interdire d'isoler un gène sous prétexte que ce dernier pourrait servir le grand projet eugéniste après quelques décennies de latence. En tant que chercheur, il s'estime par-delà le bien et le mal, même s'il connaît mieux que quiconque l'usage que l'on pourra faire de ses découvertes. C'est l'éthicien de service qui viendra codifier cet usage tel un arpenteur qui succède au découvreur et au défricheur sur les territoires nouveaux.

Mon but n'est toutefois pas de faire la critique de l'éthicien. Je tenais seulement à rappeler que si la complexité croissante des consé-quences des actes humains oblige les chercheurs et les décideurs à s'entourer de conseillers en éthique, il faut veiller à ce que la responsa-bilité de ces chercheurs et décideurs ne soit pas diluée. La responsabilité morale n'est pas divisible. Quant à l'éthique, ne serait-elle donc que la technicisation de la morale et son morcellement ? Aristote, dans son traité *De l'âme*, souligne que l'âme n'est pas morcelable. Un précepte ou principe moral ne saurait se fragmenter en dix règles éthiques.

Quel qu'ait été le nombre de ses conseillers, c'est le général Eisenhower qui porte, seul devant sa conscience, éternellement, et devant l'histoire, la responsabilité du grand débarquement à telle heure et à telle date. Même dans le cas où une décision est prise par un groupe, la responsabilité de chacun est totale. De même que deux dans la tête d'un individu et deux dans la tête d'un autre ne feront jamais quatre, de même les mobiles de l'un ne se combineront jamais aux mobiles de l'autre pour faire un acte moral.

Je vous recommande à ce propos la lecture du dernier roman de Yves Beauchemin, *Les émois d'un marchand de café*. Il y eut de grands romans d'amour, de grand roman d'aventure. Voici un grand roman d'éthique. Guillaume Tranchemontagne, le marchand de café, devient, l'âge aidant, un Don Quichotte qui tente, par divers moyens aussi louables qu'ingénieux, de réparer les torts qu'il a causés au hasard de ses réussites. Ses déboires rappellent à ceux qui l'auraient oublié que l'homme est aussi seul devant sa conscience et ses responsabilités que devant sa mort. Beauchemin a eu le génie de mettre cette solitude en relief de façon saisissante.

C'est seulement dans la mesure où l'on restera attaché au caractère indivisible de la responsabilité que l'on pourra éviter la catastrophe morale absolue. Une société sans un amour d'origine personnelle vit en deçà du bien et du mal, parce qu'elle a été dépersonnalisée, réduite à l'état de machine, envahie par la technique, plutôt que de vivre au-delà du bien et du mal, dans un amour d'origine personnelle comme celui dont Solon, Marc-Aurèle et Thomas More nous ont donné l'exemple.

On peut également consulter ce texte sur le site de *L'Agora* : http://www.agora.qc.ca

DEUXIÈME PARTIE

L'éthique et les conflits d'intérêts au quotidien

Guy Breton

L'éthique dans la gestion
des administrations publiques

Au cours des dernières années, il m'est arrivé à quelques occasions de traiter d'éthique et de conflits d'intérêts dans mon rapport à l'Assemblée nationale. L'Institut canadien des comptables agréés m'a également fait l'honneur de m'inviter à participer au comité sur l'éthique et l'intérêt public dans la profession comptable. L'objectif de ce comité est de revoir les standards imposés par l'éthique professionnelle afin d'adapter la vision commune des comptables agréés en cette matière aux réalités professionnelles contemporaines. J'ai donc l'occasion d'examiner des situations bien concrètes où l'éthique est en jeu, souvent à cause de conflits d'intérêts.

Le conflit d'intérêts peut revêtir plusieurs formes. Il y a conflit d'intérêts, par exemple, lorsque la participation d'une personne à un projet ou à une entreprise est incompatible avec les devoirs de sa fonction, lorsqu'il y a dissimulation d'avantages éventuels, lorsqu'on accepte des faveurs pour soi-même ou pour ses proches, ou encore lorsqu'on utilise à ses fins propres des renseignements confidentiels.

Les contribuables et les parlementaires qui les représentent ont des attentes très élevées en matière d'éthique à l'égard de ceux qui sont au service de l'État et ne tolèrent aucun de ces comportements, que ce soit dans la fonction publique elle-même, dans les organismes et entreprises du gouvernement ou dans les réseaux d'établissements publics.

En ce domaine, notre société est beaucoup plus exigeante à l'égard du secteur public qu'à celui du secteur privé. Qui dans le public ou parmi les journalistes se souciera que le directeur régional d'une compagnie privée embauche les membres de sa famille ou ordonne que le renouvellement des véhicules soit effectué chez un parent qui est concessionnaire ? À l'inverse, on peut aisément imaginer la manchette de journal et la réaction du public si je constate la même chose dans un ministère, une régie régionale ou une entreprise du gouvernement.

La réaction différente vis-à-vis de telles situations dans le secteur public est rationnelle. En effet, le contribuable n'a pas le choix de financer les services et les entreprises du gouvernement qui jouissent souvent d'une situation de monopole. Il ne dispose pas de l'indice d'un prix concurrentiel pour savoir s'il en a pour son argent. Si la gestion du service ou de l'entreprise publics semble douteuse, le contribuable ne peut pas changer de fournisseur ou vendre ses actions, il ne peut que manifester sa désapprobation.

Outre la volonté d'en avoir pour son argent, le contribuable désire aussi que ses impôts et ses taxes soient utilisés équitablement. Il ne tolère pas que quelqu'un se serve des pouvoirs publics au profit d'un intérêt privé. Pour garder la confiance des contribuables, le personnel du secteur public doit agir avec impartialité au service de tous les citoyens.

Afin d'assurer cette impartialité, mais aussi l'économie dans l'acquisition des ressources et l'efficacité des services, des règles ont été établies relativement à la dotation des postes, à l'acquisition des biens et services, à la prestation des services, à la confidentialité des informations et à bien d'autres sujets encore. Ces règles constituent la première ligne de prévention des conflits d'intérêts.

Toutefois ceux et celles qui appliquent les règles peuvent aussi les contourner. Pour illustrer cette situation, on n'a qu'à penser à la préparation d'un devis d'appel d'offres qui favorise un fournisseur particulier. L'appel d'offres respectera les règles, mais les dés sont pipés !

De plus, toutes les décisions ne peuvent faire l'objet de règles précises. On a donc besoin d'une deuxième ligne de prévention des conflits d'intérêts qui, plutôt que de s'appuyer sur le formalisme des règles, mise sur l'existence de valeurs communes qui guident les comportements dans l'accomplissement des fonctions. On se réfère alors à l'éthique, à la déontologie, à la culture organisationnelle.

Une organisation non gouvernementale, Transparency International, publie annuellement l'index de la perception de la corruption, fondé pour chaque pays sur l'analyse de plusieurs études et sondages. En 1999, sur quatre-vingt-dix-neuf pays, le Canada s'est classé au cinquième rang des pays les moins corrompus ; les États-Unis occupent le dix-huitième rang, la France le vingt-deuxième, l'Italie le trente-huitième.

Le Canada occupe en outre le deuxième rang des pays perçus comme les moins corrupteurs dans leurs relations commerciales internationales. Ces informations révèlent certainement un trait culturel canadien et québécois en matière d'éthique dont il faut s'enorgueillir. Elles font apparaître toute la valeur que notre société attache à l'honnêteté et à la distinction entre l'intérêt personnel et l'intérêt public. Mais la situation n'est pas parfaite, comme l'ont démontré les rapports du vérificateur général.

Si la comparaison avec ce qui a cours ailleurs dans le monde nous est avantageuse, il n'en demeure pas moins que des cas de conflits d'intérêts font régulièrement la manchette chez nous. Un relevé sommaire des articles parus dans les journaux francophones au cours de la dernière année permet de dénombrer une trentaine de cas, démontrés ou présumés, de fraudes, corruptions, conflits d'intérêts de fonctionnaires ou d'élus de tous les secteurs de l'administration publique.

Une enquête menée par le vérificateur général du Canada en 1995 a révélé qu'en dépit des normes éthiques en vigueur dans la fonction publique fédérale, trente pour cent des fonctionnaires interrogés ne verraient aucun mal à engager leur beau-frère, sans appel d'offres, pour exécuter un contrat de vingt mille dollars. Cela démontre que l'attitude à adopter dans certaines situations délicates ne fait pas l'unanimité.

Mes rapports à l'Assemblée nationale au cours des dernières années ont eux aussi fait état de quelques cas de conflits d'intérêts dont certains sont plus connus. Il faut noter que je ne cherche pas systématiquement ces situations de manquement à l'éthique : cela relève de l'enquête plus que de la vérification. Je m'intéresse surtout à l'effort déployé pour prévenir ces situations, aux systèmes et pratiques mis en place pour « gérer ce risque » qui, lorsqu'il se produit, peut occasionner la non-conformité de certaines décisions avec les lois, règlements ou politiques, ou encore peut être une source de coûts supplémentaires ou la cause d'inefficacité.

Dans l'examen des pratiques de prévention des conflits d'intérêts, priorité oblige, je me suis moins attardé à la fonction publique elle-même. D'abord, les normes éthiques qui s'appliquent à elle sont énoncées depuis longtemps dans la Loi sur la fonction publique. Elles sont en outre précisées dans un règlement et ont déjà été diffusées parmi les fonctionnaires. Les décisions rendues par le tribunal d'arbitrage et par la commission de la fonction publique démontrent que les ministères et organismes ont appliqué, dans un certain nombre de cas, les normes éthiques relatives aux conflits d'intérêts.

Les règles applicables à la fonction publique semblent comporter tout de même quelques faiblesses. Par exemple, elles ne traitent pas des devoirs des fonctionnaires après qu'ils ont quitté leur emploi. Un cadre supérieur démissionnaire peut-il, une semaine après son départ, représenter une entreprise qui négocie avec son ex-employeur précisément dans le domaine de ses anciennes responsabilités ? Cette préoccupation et quelques autres que je mentionnerai tout à l'heure militent certainement en faveur de l'actualisation et de la promotion des règles de prévention des conflits d'intérêts dans la fonction publique.

Quoi qu'il en soit, jusqu'à maintenant, l'attention de mon prédécesseur, Rhéal Chatelain, et la mienne ont plutôt porté sur les pratiques qui ont cours dans les organismes et entreprises du gouvernement dont plusieurs ne sont pas assujettis à la Loi sur la fonction publique. C'est ainsi que, depuis 1987, nous recommandons que la prévention des conflits d'intérêts soit traitée dans une loi-cadre sur les organismes et les entreprises. Bien qu'une telle loi-cadre n'ait pas encore été adoptée, la situation a progressivement, mais lentement, évolué en matière de prévention des conflits d'intérêts.

En 1988, le rapport du vérificateur général à l'Assemblée nationale notait que la grande majorité des lois constitutives ne précisaient pas les règles à suivre en matière de conflits d'intérêts. En 1991, un examen des pratiques des organismes, des entreprises et de leurs filiales nous amenait à conclure que, pour le tiers d'entre eux, les règles de prévention des conflits d'intérêts étaient déficientes ou absentes, tant pour les dirigeants que pour les administrateurs ou les employés.

D'autres travaux réalisés en 1994-1995 démontraient que neuf pour cent des entités dont le personnel n'est pas nommé en vertu de la

Loi sur la fonction publique n'avaient toujours pas édicté de règles au sujet des conflits d'intérêts. Dans le tiers des cas, les règles existantes ne couvraient que partiellement les divers types de conflits d'intérêts. Seulement la moitié exigeaient régulièrement des déclarations écrites relativement aux intérêts des membres du conseil d'administration.

Au cours de ces années, un certain nombre de situations de conflit d'intérêts ont fait la manchette. Ces situations ont poussé le gouvernement à élever le niveau d'éthique professionnelle et à mieux prévenir les conflits d'intérêts, tout particulièrement, selon les termes utilisés par le premier ministre en 1994, «dans la zone grise des sociétés d'État, des organismes qui gravitent autour de l'État, dans les filiales d'entreprises publiques, dans les compagnies où elles détiennent des intérêts importants, là où se retrouvent maintenant les pratiques parfois intolérables».

C'est ainsi qu'un groupe de travail sur l'éthique, la probité et l'intégrité des administrateurs publics a été constitué. Ce groupe a proposé dix-neuf recommandations en matière d'éthique, de déontologie, de rémunération, d'indemnités et d'avantages; elles ont presque toutes été intégrées en 1997 dans la Loi sur le ministère du Conseil exécutif ou dans un règlement qui en découle.

Toutefois, dix-neuf autres recommandations relatives à la sélection et à la nomination des administrateurs ont connu une application plus mitigée, même si ces questions ne sont pas étrangères aux conflits d'intérêts. J'ai moi aussi recommandé, en 1996, de rendre le processus de nomination des administrateurs d'entreprises du gouvernement plus transparent afin de faciliter le rôle de surveillance de l'Assemblée nationale.

Le nouveau cadre juridique oblige chaque organisme ou entreprise du gouvernement et ses filiales ainsi que chaque établissement des réseaux de l'éducation, de la santé et des services sociaux à établir, pour les administrateurs seulement, son propre code d'éthique et de déontologie. Mis à part les établissements des réseaux, chacun doit aussi adopter un code applicable aux personnes qu'il nomme dans un organisme ou une entreprise non gouvernementaux. Ces codes doivent traiter des sujets essentiels à la gestion des conflits d'intérêts, à savoir les mesures de prévention, notamment la déclaration des intérêts, l'identification de situations de conflit d'intérêts et les devoirs des administrateurs après la fin de leur mandat.

Des mécanismes d'application de ces codes sont prévus de même que des sanctions, s'il y a manquement à ces derniers. Les rapports annuels de toutes les entités visées doivent présenter leur code d'éthique et de déontologie. Ces rapports ont aussi à faire état du nombre de cas traités, de leur suivi, des manquements constatés, des décisions rendues et des sanctions imposées ainsi que du nom des personnes révoquées ou suspendues.

Toutes ces mesures s'appliquent depuis le 1er janvier 1998 aux filiales détenues à moins de cent pour cent par les organismes et les entreprises du gouvernement ainsi qu'aux établissements des réseaux de l'éducation, de la santé et des services sociaux. Quant aux organismes et entreprises du gouvernement ainsi qu'à leurs filiales entièrement détenues par lui , ils doivent avoir adopté leur propre code depuis le 30 septembre 1999.

Tel est donc le cadre juridique, qui semble satisfaire à la recommandation de l'Organisation de coopération et de développement économiques. En effet, les vingt-neuf pays membres de l'OCDE ont adopté en 1998 douze principes propres à favoriser la gestion de l'éthique dans le service public. Ces principes visent les fonctions d'orientation, de gestion ou de contrôle qui permettent d'évaluer les systèmes de gestion de l'éthique. Ils traduisent des conceptions communes quant à une gestion efficace de l'éthique. En passant, l'OCDE produira un rapport sur l'application de ces principes au cours de la prochaine année.

Cela dit, l'examen de ces principes fait clairement ressortir qu'en matière de prévention des conflits d'intérêts la seule dimension juridique est insuffisante. Les gouvernements doivent aussi promouvoir l'éthique et la prévention des conflits d'intérêts de diverses autres façons, par exemple par le conseil, par la formation et par la transparence du processus de décision.

Un article publié en janvier 1999 par Transparency International rappelle d'ailleurs les limites du cadre juridique. L'auteur, Daniel Dommel, président de la section française de cette organisation internationale, affirme que «les pays les plus corrompus ont des lois condamnant la vénalité de leurs propres fonctionnaires, mais si la société civile reste indulgente ou apathique, ces lois demeurent lettre morte». L'éthique, en somme, doit non seulement être encadrée par une loi, elle doit aussi être une valeur de la société, elle doit faire partie de sa culture.

Transposé dans le cadre d'une organisation, ce constat incite à la mise en place de moyens qui permettront d'intégrer l'éthique et en particulier la prévention des conflits d'intérêts dans la culture de l'organisation. Outre l'OCDE, plus près de nous, le conseil sur les critères de contrôle de l'Institut canadien des comptables agréés a lui aussi recommandé aux dirigeants des organisations tant publiques que privées de veiller à l'intégration des valeurs éthiques dans la culture organisationnelle. Cette recommandation est fondée sur le constat que tout contrôle repose, au bout du compte, sur la prise en charge par les personnes de la responsabilité de leurs décisions et de leurs actions.

Chaque entité doit donc, par la formation et l'information, voir à ce que ses administrateurs acquièrent le réflexe d'apprécier une situation en fonction des valeurs et des règles énoncées dans le code d'éthique et de déontologie. Cela est d'autant plus important que certains comportements courants dans le secteur privé, d'où proviennent plusieurs administrateurs publics à temps partiel, sont généralement condamnés dans le secteur public, par exemple les marques ostensibles d'hospitalité ou les cadeaux.

Toutefois, il n'y a pas d'instance gouvernementale au Québec qui fait la promotion et la coordination de cette formation en éthique, non plus que de l'application de la loi, comme l'Office of Government Ethics aux États-Unis. En passant, j'ai été agréablement surpris d'apprendre récemment que la faculté des sciences de l'administration de l'université Laval a adopté un code d'éthique qui s'applique tant au personnel de la faculté qu'aux étudiants. Ce serait une première. Il est souhaitable que cette initiative s'étende afin justement de favoriser l'intégration culturelle des valeurs éthiques dans la formation initiale des futurs administrateurs.

Je crois que le gouvernement devrait saisir l'occasion de cet effort de développement de la préoccupation éthique auprès des administrateurs des organismes et entreprises pour actualiser les règles et pratiques au sein même du gouvernement et de sa fonction publique. En effet, le virage entrepris vers une gestion axée sur les résultats a un impact important sur la culture de l'appareil gouvernemental. La plus grande responsabilisation des fonctionnaires et l'assouplissement des règles que cette approche préconise a notamment pour conséquence que le souci de l'intérêt public reposera davantage sur leur adhésion aux valeurs éthiques.

L'OCDE observe d'ailleurs que les réformes de la gestion publique impliquant une plus grande déconcentration des responsabilités et une plus grande liberté d'action pour les détenteurs d'une charge publique, les contraintes budgétaires et les nouvelles formes de prestation de services remettent en cause les valeurs traditionnelles du service public et multiplient les risques de «conduite irrégulière». L'invitation faite aux fonctionnaires d'adopter des méthodes semblables à celles des entreprises du secteur privé peut avoir des effets non désirés si les balises ne sont pas clairement établies.

En résumé, nous pouvons nous féliciter de la perception globalement positive qu'ont les citoyens de leur administration publique au Canada. Nous avons toutefois des indices, tant par les révélations de la presse que par les conclusions des travaux de vérification, qu'il y a lieu d'améliorer la situation, ce que d'ailleurs le public demande.

Le défi qu'il faut maintenant relever consiste non seulement à appliquer les codes et à en faire un compte rendu transparent dans les rapports annuels, mais encore faut-il mettre au point un programme adapté de formation et d'information des administrateurs des organismes et entreprises visés.

Je termine en formulant le souhait que les mesures de sensibilisation à l'éthique dont les administrateurs des organismes et entreprises devraient bénéficier soient aussi offertes à leur personnel ainsi qu'à celui de la fonction publique afin de favoriser le développement d'une culture commune en ce qui a trait à l'éthique allant de pair avec le mouvement actuel de responsabilisation du personnel du secteur public.

Le lecteur pourra consulter le site du vérificateur général pour obtenir les références aux documents mentionnés dans ce texte : http://www.vgq.gouv.qc.ca

Louis Bernard

Éthique et nouveau cadre de gestion de la fonction publique québécoise

La question de l'éthique dans la fonction publique tombe aujourd'hui particulièrement à point: le gouvernement du Québec a en effet récemment proposé une réforme du cadre de gestion de la fonction publique exposée dans le nouveau projet de loi sur l'administration publique, actuellement à l'étude à l'Assemblée nationale. C'est à la lumière de ce nouveau cadre de gestion que je voudrais aborder les conflits d'intérêts, mais aussi d'autres chapitres de l'éthique du secteur public.

Ce projet de modernisation de notre fonction publique a pour but de permettre à l'administration québécoise de fournir de meilleurs services aux citoyens et aux entreprises en axant sa gestion sur les résultats plutôt que sur les moyens, en responsabilisant davantage les fonctionnaires et en leur conférant plus de liberté d'action, mais également en les rendant directement et publiquement imputables de leur gestion.

Il s'agit là d'une réforme en profondeur qui touche à la culture même de notre fonction publique puisqu'elle vise à remplacer une culture d'administration par une culture de gestion. Tous les acteurs du système public seront touchés par cette réforme, des ministres et des députés jusqu'aux fonctionnaires de première ligne, en passant par les sous-ministres et les autres cadres. Progressivement, à mesure que les diverses unités administratives seront en mesure de mieux définir leurs objectifs et de mieux mesurer leurs résultats, les contrôles de gestion, qui à l'heure actuelle portent presque exclusivement sur les facteurs et les processus de production (les *inputs*), seront déplacés vers les produits eux-mêmes (les *outputs*). On ne contrôlera plus les moyens, mais les résultats.

C'est par le moyen d'ententes de gestion conclues avec le Conseil du trésor que les unités sous convention de performance et d'imputabilité pourront obtenir une marge de manœuvre plus grande et être exemptées de la plupart des contrôles normatifs qui encadrent actuellement leur activité. Il continuera, bien sûr, d'y avoir des obligations et des contrôles (il n'y a pas de bonne administration sans bons contrôles), mais ce seront des obligations de résultats et des contrôles de performance.

Un tel système laissera donc aux gestionnaires une liberté beaucoup plus grande dans le choix des moyens. Là où, auparavant, il suffisait de suivre une norme, le gestionnaire devra faire usage de jugement. Là où il y avait un cheminement obligé, il pourra user de discrétion. La qualité de l'administration reposera donc beaucoup plus que maintenant sur la qualité individuelle des gestionnaires.

Comment relever ce défi avec succès ou, selon une expression à la mode, quelles sont les «conditions gagnantes» d'un tel mode de gestion? À mon sens, il y en a trois: la compétence professionnelle des gestionnaires, la mise en place de saines pratiques de gestion et l'adhésion à une éthique élevée.

Je n'insisterai pas sur la première de ces conditions. La compétence professionnelle des gestionnaires va de soi, elle est nécessaire quel que soit le cadre de gestion. Je voudrais cependant souligner que, dans le nouveau système, les compétences propres à la gestion (par opposition aux compétences techniques relatives au secteur à gérer) prennent encore plus d'importance. Le gestionnaire d'une unité chargée de la construction des routes, par exemple, devra non seulement être un ingénieur compétent en matière de construction, mais également un gestionnaire capable de planifier les activités de son service, établir les objectifs, mesurer les résultats, gérer son budget, motiver ses troupes, etc. C'est déjà le cas dans le système actuel, dira-t-on, mais cela deviendra encore plus important dans le nouveau cadre de gestion.

En ce qui concerne la mise en place de saines pratiques de gestion, c'est un sujet assez nouveau et il est proche parent de la question des rapports entre éthique et conflits d'intérêts. Qu'est-ce qu'on entend par « saines pratiques de gestion »? On entend une série de comportements ou de façons de faire auxquels on peut s'attendre de la part d'un gestionnaire prudent. Je donne un exemple. Lorsqu'un gestionnaire prudent achète un bien, il doit s'assurer d'un bon rapport qualité-prix et, pour cela, prendre les mesures qui lui donneront une assurance raisonnable que le bien acheté répond à cette exigence de qualité-prix. Comment faire? Normalement, cette assurance viendra de la mise en place d'un processus de soumission auprès d'un nombre suffisant de fournisseurs. Mais cela peut aussi passer par un processus de négociation avec un ou deux fournisseurs dominants, ou encore par la négociation d'escomptes de volume. Le choix du moyen dépend des circonstances, mais c'est une saine pratique de gestion de s'assurer que l'achat d'un bien se fait à la suite d'un processus assurant un bon rapport qualité-prix. Dans certains cas, il faudra même s'assurer qu'on obtiendra non seulement un bon, mais le meilleur rapport qualité-prix possible.

On peut ainsi répertorier toute une série de saines pratiques de gestion couvrant la plupart des principaux gestes administratifs: embauche et gestion du personnel, achat de services, établissement des contrôles de gestion, élaboration d'une planification stratégique, mise en place d'une politique de communication, etc.

Ce concept de saines pratiques de gestion est né, il y a quelques années, dans le secteur des institutions financières réglementées, comme les banques et les compagnies d'assurance. Il a également été adopté, sous une forme différente, par les bourses en ce qui concerne l'organisation et le rôle du conseil d'administration dans les compagnies cotées en bourse. Et c'est un concept qui pourrait être fort utile dans la mise en place du nouveau cadre de gestion de la fonction publique québécoise.

À l'heure actuelle, la réglementation est tellement détaillée qu'elle sert elle-même de saines pratiques de gestion. Mais il en ira autrement lorsque cette réglementation ne sera plus obligatoire et que le gestionnaire aura la liberté de choisir lui-même la manière d'agir dans la poursuite de ses objectifs. C'est à ce moment qu'il sera utile de mettre à la disposition des fonctionnaires un répertoire des saines pratiques qu'un gestionnaire prudent doit mettre en œuvre.

Évidemment, il faudra éviter que ces nouvelles pratiques deviennent de nouvelles normes administratives sous un autre nom. Une pratique, comme son nom l'indique, est un comportement habituel qu'on peut ajuster aux circonstances et qui n'est pas exigé par la loi. Sa mise en œuvre peut prendre plusieurs formes et elle peut même être mise de côté si les circonstances le justifient. Il faudra donc respecter ce caractère de flexibilité dans la définition des saines pratiques de gestion. Mais il est à souhaiter que, pour faciliter la mise en œuvre du nouveau cadre de gestion, on puisse bâtir un répertoire de saines pratiques de gestion qui pourra servir d'appui et de guide aussi bien pour les gestionnaires eux-mêmes que pour ceux qui auront à juger de la qualité de leur gestion.

J'en arrive ainsi à la place de l'éthique dans la gestion publique. Il ne suffit pas, en effet, de pouvoir compter sur des gestionnaires compétents qui suivent de saines pratiques de gestion : il faut également que ces gestionnaires aient un sens élevé de l'éthique applicable au secteur public.

Dans le système actuel, où tout est normé et encadré par la réglementation, l'éthique a été en quelque sorte institutionnalisée. Elle s'est inscrite dans les règles administratives que nous nous sommes données à partir de la Révolution tranquille, en réaction contre l'arbitraire et le favoritisme qui avaient jusque-là caractérisé l'administration québécoise. Les règles sur les appels d'offres publics et sur le recrutement ou la promotion par concours sont soit de saines pratiques de gestion soit des règles éthiques de comportement qui ont été érigées en règles administratives. Si bien que, la plupart du temps, le fonctionnaire n'a pas à suivre une règle éthique, mais simplement à se conformer à une règle administrative. Puisqu'il y a peu de discrétion, peu de choix à faire, peu de liberté, il est peu besoin d'éthique.

Il en sera bien autrement dans le nouveau cadre de gestion axé sur les objectifs et la liberté d'action des gestionnaires. Et c'est ce que j'aimerais examiner en discutant quatre des principaux chapitres de l'éthique applicable au secteur public : la prévention des conflits d'intérêts, le devoir de loyauté, le devoir d'impartialité et le devoir de neutralité.

Il ne faut pas se cacher que le nouveau cadre de gestion multipliera les occasions de *conflits d'intérêts*. Que ce soit dans l'achat de biens ou de services, la location d'espaces, le recrutement ou la promotion du personnel, le gestionnaire aura plus d'occasions de poursuivre ses intérêts personnels au détriment de ceux de l'État. Par exemple, dans la mesure où, pour lui donner plus de latitude, le gestionnaire sera dispensé de passer par «Rosalie» ou de suivre les règles strictes des appels d'offres publics, il pourrait être tenté de favoriser ses proches ou ses connaissances dans l'octroi des contrats. Le bon fonctionnement du nouveau système, par conséquent, exige que les gestionnaires soient assujettis à des normes éthiques précises qui les empêcheront de donner priorité à leurs intérêts personnels.

D'ailleurs, ces normes existent déjà. Elles sont énoncées aux articles 7, 8 et 9 de la Loi sur la fonction publique, et complétées dans le fascicule *L'éthique dans la fonction publique* publié par le Secrétariat général du Conseil exécutif ainsi que dans le règlement sur l'éthique et la déontologie des administrateurs publics adopté en 1998. Même si nul n'est censé ignorer la loi, il serait sans doute utile de s'assurer que ces normes sont effectivement connues de tous les intéressés. Par exemple, dans plusieurs entreprises privées, le code de déontologie fait régulièrement l'objet d'une révision par le conseil d'administration et est remis annuellement à tous les employés, qui doivent signer une déclaration qu'ils en ont pris connaissance. Je ne sais pas si on doit aller jusque-là dans le secteur public, compte tenu du grand nombre d'employés, mais il serait bon de s'assurer que la diffusion des règles d'éthique est suffisamment large et adéquate.

En matière de conflits d'intérêts, une des règles d'éthique les plus difficiles à appliquer concerne les cadeaux, gratuités et autres témoignages de reconnaissance. Où faut-il tracer la ligne de partage entre les pratiques normales de bienséance et les tentatives de se mériter un traitement de faveur? Personnellement, je crois qu'il serait prudent de maintenir, à cet égard, la barre haute. La pratique des cadeaux devrait continuer à être bannie du secteur public, sauf évidemment «les avantages d'usage et de valeur modeste», comme dit la réglementation.

Il faut admettre, cependant, que tous ne sont pas dans la même situation. Par exemple, le gestionnaire au tourisme pourrait être amené à accepter certaines gratuités qui sont normales dans ce secteur et qui ne mettent aucunement en danger son impartialité. Cela peut être la même chose dans certains autres secteurs. C'est pourquoi je suggère que l'on examine la possibilité de nommer, auprès du secrétariat général du Conseil exécutif ou du ministère de la Justice, un conseiller en éthique auquel les fonctionnaires pourraient soumettre, pour avis, les cas susceptibles d'engendrer des conflits d'intérêts. Selon l'avis de ce conseiller, on pourrait dégager certaines lignes de conduite devant guider les fonctionnaires dans l'application des règles relatives à la prévention des conflits d'intérêts.

Le devoir de *loyauté* est admirablement exprimé dans la célèbre devise des Trois Mousquetaires d'Alexandre Dumas : « Tous pour un, un pour tous ». Ce devoir souligne le lien qui doit unir les membres d'un même service, d'un même ministère ou organisme, d'un même gouvernement. C'est par loyauté que tous les membres d'une même organisation travaillent ensemble et sont solidaires les uns des autres. À l'inverse, un fonctionnaire qui dénigre son service ou agit volontairement pour saboter son action manque à son devoir de loyauté.

Normalement, le nouveau cadre de gestion devrait rendre plus facile l'exercice de la loyauté à l'intérieur de chaque service, puisque chacun devrait se sentir plus motivé à mettre l'épaule à la roue et davantage responsable du succès de son service. Je ne vois donc pas de difficulté de ce côté. Le principal défi, je le vois plutôt dans ce que j'appellerais les conflits de loyauté : mettre toute sa loyauté dans son service, et ne ressentir aucune loyauté envers son ministère ou envers l'ensemble de la fonction publique ; favoriser la loyauté de son service au détriment de toute loyauté plus large. C'est évidemment un danger qui existe déjà dans le système actuel, qui est loin d'être exempt de tout esprit de clocher. Mais c'est un danger qui pourrait augmenter dans le nouveau cadre de gestion puisque celui-ci favorisera une décentralisation des responsabilités et demandera à chaque service d'axer son action sur la poursuite d'objectifs qui lui sont propres. Puisqu'il sera jugé sur les résultats de son service, le gestionnaire pourrait avoir tendance à limiter sa loyauté à son propre service, surtout s'il a le sentiment que les intérêts de celui-ci entrent en conflit avec ceux des autres services de son ministère ou des autres ministères ou organismes du gouvernement. On sait qu'en période de restrictions budgétaires, ce sont des choses qui peuvent se produire.

C'est ici que la dimension éthique de la loyauté prend tout son sens. L'éthique transcende les intérêts. L'éthique prend une vue plus haute sur les relations entre les différentes composantes d'une organisation. Le devoir de loyauté dépasse la loyauté immédiate, facile, envers l'unité où se situent ses premiers intérêts. C'est un devoir plus large qui doit englober, dans son ensemble, toute l'organisation à laquelle on appartient. Bref, on s'attend à ce qu'un fonctionnement soit loyal à l'État tout autant qu'à son service. On pourrait même s'attendre à ce que ce soit là sa première loyauté.

Il est clair, en tout cas, que, sans cette loyauté fondamentale de tous les fonctionnaires envers l'État, le nouveau cadre de gestion pourrait avoir l'effet d'accentuer encore davantage ce qu'on appelle la gestion «en silo», la gestion purement sectorielle qui réduit la cohérence de l'action gouvernementale et répond mal aux attentes des citoyens. Lorsqu'il s'adresse à un service gouvernemental, le citoyen a le sentiment de s'adresser au gouvernement, à l'État dans son ensemble. Pour lui, l'organigramme gouvernemental n'a pas d'importance. Aussi, le citoyen a-t-il peu de patience pour les guerres de juridiction et le renvoi des problèmes d'un service à l'autre. Aussi, le gouvernement, s'il veut fournir aux citoyens des services de meilleure qualité, doit-il briser cette approche «en silo» et recourir de plus en plus à des «guichets uniques» qui sont autant de portes d'entrée à des services multiples reliés les uns aux autres. Cela ne sera possible cependant que si les différentes unités du gouvernement se conçoivent comme autant de parties d'un tout, qui doivent établir entre elles des relations fonctionnelles harmonieuses; et que si les gestionnaires se voient comme autant de membres d'une grande équipe, qui doivent s'entraider les uns les autres. Autrement dit, pour éviter que le nouveau cadre de gestion favorise la fragmentation et le cloisonnement de l'action de l'État, il faudra pouvoir compter sur un renforcement du devoir de loyauté des fonctionnaires envers l'État.

Le devoir d'*impartialité* est une autre composante de l'éthique qui acquerra encore plus d'importance dans le nouveau cadre de gestion. En effet, dans cette nouvelle façon de gérer, les fonctionnaires pourront exercer beaucoup plus de discrétion. Pour éviter que le discrétionnaire ne se transforme en arbitraire, il faudra s'assurer que les fonctionnaires agissent avec impartialité.

L'impartialité exige que les cas semblables soient traités de la même façon, que les décisions particulières s'inscrivent dans une cohérence générale, que les dérogations soient motivées. Cela suppose une rigueur dans le processus de décision. On ne peut pas, sous prétexte que chaque cas est différent, décider «blanc» aujourd'hui et «noir» demain: il doit y avoir une continuité dans les décisions et on doit comprendre la rationalité ou le raisonnement qui les sous-tend. Le devoir d'impartialité, c'est donc plus que la simple absence de préjugés ou de favoritisme. Ce devoir exige de la part du fonctionnaire qui prend une décision discrétionnaire un effort d'analyse et de cohérence, une évaluation de ce qui a été décidé dans le passé et une analyse des répercussions de la décision sur ce qui devra être décidé dans l'avenir. Il s'agit donc là d'un devoir exigeant auquel plusieurs de nos fonctionnaires, faute d'habitude, ne sont pas nécessairement bien préparés. Il faudra donc leur donner la formation et l'appui dont ils auront besoin à cet égard.

Finalement, le devoir de *neutralité* prendra, lui aussi, de l'importance dans le nouveau cadre de gestion en raison du profil public plus prononcé qu'acquerront les hauts fonctionnaires. Un des éléments essentiels du nouveau cadre de gestion, en effet, c'est l'imputabilité directe des gestionnaires devant l'Assemblée nationale. C'est ce qu'on appelle l'imputabilité externe qui vient compléter l'imputabilité interne à laquelle seront assujettis les gestionnaires.

Cette imputabilité publique auprès d'une instance politique présuppose une délimitation assez précise de ce qu'on pourrait appeler la sphère administrative, par opposition à la sphère politique. Elle présuppose également que les députés membres des commissions parlementaires accepteront certaines règles du jeu dans la façon dont ils recevront la reddition de comptes des gestionnaires publics. Heureusement, depuis quelques années déjà, une pratique s'est développée à cet égard qui montre que la chose est tout à fait possible.

Mais, en contrepartie, les gestionnaires qui comparaîtront devant les commissions parlementaires devront démontrer une neutralité politique exemplaire. Cette neutralité ne touche pas tant leurs convictions politiques personnelles que leur comportement en tant que gestionnaires. Nul ne leur reprochera, évidemment, de soutenir et faire valoir la politique du gouvernement, mais cet appui doit rester de nature technique et être dépourvu de considérations partisanes.

Historiquement, nos fonctionnaires québécois ont démontré un haut degré de neutralité politique. Cela est facilité par notre système de carrière et par la tradition qui s'est instaurée au sein de notre fonction publique depuis la Révolution tranquille. Nous sommes donc bien placés pour relever, à cet égard, les défis que posera le nouveau cadre de gestion fondée sur l'imputabilité publique des gestionnaires.

C'est parce que nous avons déjà adopté au sein de notre fonction publique une éthique de haute qualité que nous pouvons maintenant envisager avec confiance de mettre en place un cadre de gestion qui sera encore plus exigeant en cette matière.

Si nous avions encore l'administration de la fin des années cinquante, où le favoritisme, l'arbitraire, la partialité et la partisannerie étaient monnaie courante, nous ne pourrions pas envisager de mettre en place un cadre de gestion axé sur les résultats, donnant une large marge de manœuvre à des fonctionnaires soumis à un processus d'imputabilité publique. C'est parce que nous avons confiance dans l'éthique de nos fonctionnaires que nous pourrons envisager la mise en place progressive d'un système basé essentiellement sur la liberté d'action et l'imputabilité des gestionnaires.

Et cette confiance repose principalement sur la compétence personnelle des gestionnaires et sur leur capacité de mettre en œuvre de saines pratiques de gestion. Mais elle repose tout autant sur leur sens de l'éthique, sur leur capacité d'éviter les conflits d'intérêts, de servir loyalement l'État, de remplir leurs fonctions avec impartialité et de démontrer dans leur gestion une neutralité politique exemplaire.

À cet égard, la décision qu'a prise le gouvernement de proposer l'adoption d'un nouveau cadre de gestion axé sur la liberté et l'imputabilité des gestionnaires et la réception positive que ce projet a reçue tant auprès de l'opposition qu'auprès des différentes composantes de notre société, sont un témoignage éloquent de la confiance que le Québec place dans sa fonction publique. Je suis certain que nos fonctionnaires sauront se montrer à la hauteur de cette confiance.

Pierre F. Côté

Financement des partis politiques: adapter les règles pour améliorer l'éthique

Il est sans doute judicieux, pour commencer, de distinguer éthique et morale. La morale repose sur des fondements dogmatiques qui, règle générale, varient lentement et faiblement dans le temps. Elle décrit une ligne de conduite à partir de dogmes, de «vérités éternelles». En ce sens, elle est davantage liée au spirituel et s'applique principalement à l'individu. À l'opposé, l'éthique renvoie à un ensemble de paramètres de conduite. Ils peuvent varier dans le temps et ils sont le fruit d'un consensus social établi à un moment donné. En ce sens, l'éthique s'applique le plus souvent à un groupe d'individus. D'ailleurs, on ne parle pratiquement jamais de code d'éthique pour un seul être.

Cela dit, je voudrais mettre en évidence ce que j'appellerais, en cette matière, l'héritage de René Lévesque. Lorsque la Loi régissant le financement des partis politiques a été adoptée en 1977, cela a constitué une révolution tranquille. On a alors mis sur pied un système de financement populaire et transparent. Cette loi a donné naissance à un système original intégré de contrôle du financement politique et des dépenses électorales.

Le système québécois repose sur trois assises. Il se caractérise en premier lieu par un soutien important de l'État. Ainsi, l'État verse aux partis politiques autorisés une allocation de soutien visant à leur rembourser les dépenses relatives à leur administration courante, à la diffusion de leur programme politique et à la coordination de l'action politique de leurs membres.

Cette allocation de 0,50 $ par électeur dans l'ensemble des circonscriptions est versée annuellement par le directeur général des élections et elle est répartie entre les partis politiques en fonction du pourcentage de votes valides qu'ils ont obtenus lors des dernières élections générales.

Cette allocation totalise 2,5 millions de dollars annuellement et elle est versée mensuellement sur présentation au directeur général des élections d'une demande de paiement et des pièces justificatives afférentes. Les contributions totales de l'État dépassent en moyenne dix millions par année.

Le financement de l'État a pour but de compléter et de stabiliser les revenus des partis politiques, afin d'éviter que les élus ne soient redevables de leur élection à des personnes fortunées ou à des entreprises. Ce financement public élaboré a été instauré pour compenser en quelque sorte le financement basé sur les contributions des seuls électeurs.

Le second élément du système québécois, et en cela il se distingue de la plupart des autres systèmes à notre connaissance, réside dans le fait que seuls les électeurs peuvent, à même leurs propres biens, faire des dons aux partis. Il est donc interdit aux personnes morales (sociétés, syndicats et groupes d'intérêts) de faire un don à une entité politique autorisée ou candidat indépendant autorisé. Cette mesure permet d'éviter que des groupes exercent des pressions politiques sur les élus en échange du financement qu'ils auraient pu autrement leur procurer.

Le financement populaire, l'interdiction limitée de l'intervention des tiers et les limites aux dons sont au cœur du modèle québécois de financement politique. Ce système de financement diversifié permet aux partis politiques de garder leur indépendance par rapport aux intérêts économiques.

Bref, nulle personne fortunée ne peut verser de fortes sommes à un parti. Plus encore, aucune personne morale n'a le droit de financer un parti politique ou un candidat indépendant. Ces mesures visent à éviter que les candidats et les élus aient les mains liées et se trouvent en dette politique envers quiconque.

Le modèle québécois de financement politique prévoit enfin un accès équitable aux médias, tant durant une période électorale qu'en dehors de celle-ci, ce qui constitue un troisième élément au regard de l'équité.

Je crains cependant qu'invoquer l'héritage de René Lévesque sans le faire fructifier ou, à tout le moins, sans le faire évoluer ne nous place dans une situation inextricable.

N'y a-t-il pas lieu en effet de repenser les limites du financement populaire et la contribution de l'État? Pour mémoire, je rappellerai que, en 1998, la participation totale de l'État au financement politique dépassait les neuf millions de dollars (43%) et que la participation de l'électeur était de 12,2 millions; en 1997, la part de l'État était de 49,7% (cinq millions); en 1996, de 69,7% (sept millions); en 1995, de 60,7% (13,6 millions); et, en 1994, de 34,5% (7,7 millions).

L'augmentation des coûts des campagnes électorales, due à la nécessaire utilisation de messages télévisuels, nous oblige à trouver des solutions nouvelles. Doit-on accroître la participation de l'État ou doit-on trouver d'autres sources de financement pour les partis politiques? Si on demande à l'État d'augmenter sa quote-part, quelles en seraient les risques pour la nécessaire liberté dont doivent disposer les partis politiques dans le cadre de l'application de la loi électorale? En restreignant le financement politique aux seuls électeurs, on a considérablement augmenté la confiance de ces derniers dans l'équité du processus électoral.

L'objectif de faire disparaître les caisses occultes est atteint. Cependant, de nouvelles façons de contourner la loi semblent avoir vu le jour. Il est facile de se cacher la tête dans le sable et de faire comme si on respectait toujours l'esprit et la lettre de la réforme de 1977. Il semble pourtant que se multiplient les contributions des personnes morales au financement des partis politiques. Pourquoi ne pas en faire état et ne pas essayer d'établir des paramètres qui seront dans le prolongement des acquis de la réforme?

Le financement populaire ne suffit plus à combler les besoins financiers des partis politiques. Il faut explorer de nouvelles avenues. On ne peut continuer à mettre un grand nombre de personnes dans la situation d'agir, en fait, de façon incorrecte — ce n'est pas un «comportement éthique». Des adaptations s'imposent. Puisqu'il faut appeler un chat un chat, il me semble que les personnes morales devraient pouvoir contribuer au financement des partis politiques, mais selon des règles très strictes.

Pour y arriver, il faut au préalable s'entendre sur les points suivants : il importe d'abord que les partis politiques reconnaissent qu'il est possible actuellement de contourner la loi ; deuxièmement, un large débat public devrait avoir lieu sur cette question afin de déterminer les éléments à préserver pour que l'esprit de la législation soit maintenu ; finalement, nous avons besoin de propositions concrètes. Les hypothèses envisagées doivent comporter des balises claires, des limites précises et des moyens efficaces de contrôle.

S'il était permis aux personnes morales de contribuer financièrement aux partis politiques, cela mettrait fin à la politique de l'autruche qui prévaut actuellement, cela contribuerait à une diminution de l'aide financière de l'État et cela établirait des règles du jeu très nettes pour les personnes morales sollicitées.

On pourrait envisager des contributions annuelles maximales, une divulgation publique des donateurs et de leur contribution, un montant maximum que les partis politiques pourraient accepter — par exemple, un pourcentage des contributions individuelles.

On pourrait envisager que les contributions des personnes morales seraient déposées dans un compte en fiducie du directeur général des élections, puis que la répartition de cette cagnotte serait versée aux partis politiques au prorata des votes obtenus lors des dernières élections générales.

Ces pistes de réflexion peuvent sembler scandaleuses en regard de l'héritage de René Lévesque. Il faut explorer de nouvelles avenues si l'on veut que l'esprit de cet héritage soit maintenu. Il faut se demander si on peut continuer à mettre un certain nombre de personnes en situation de conflit d'intérêts. Il faut déterminer pour les comportements éthiques une façon d'agir qui soit juste.

Les réflexions qui précèdent valent autant sur le plan provincial que municipal. Il est impérieux d'éveiller de plus en plus les politiciens municipaux aux exigences rigoureuses d'un comportement irréprochable quant au financement des campagnes électorales municipales. Plus les exigences des électeurs à cet égard seront rigoureuses, plus on court la chance d'avoir des élus municipaux intègres et compétents.

En guise de conclusion, qu'il me soit permis d'évoquer la nécessité au Québec d'avoir un organisme qui veillerait au comportement éthique de tous les intervenants dans le domaine public. On peut confier cette tâche à un organisme déjà existant. Je vous renvoie à ce sujet aux propositions déjà soumises dans le livre *L'éthique gouvernementale* publié en 1997 et dont il y eut peu d'échos.

Isabelle Hachey

Dérapages dans le financement électoral municipal

J'ai publié, en mai 1999, dans *La Presse*, un dossier sur ce qu'on a appelé par la suite les «élections clef en main». C'était là l'aboutissement d'une série de reportages qui avaient commencé, dans mon cas, en novembre 1997. J'avais alors couvert, pour le même quotidien, les élections municipales qui se tenaient dans plusieurs villes de la rive nord de Montréal. J'avais été frappée à l'époque par le fait que plusieurs candidats avaient les mêmes programmes, les mêmes recettes, les mêmes slogans. Sur le coup j'avais attribué cela à un manque d'originalité, mais la chose me semblait quand même un peu bizarre.

Les résultats m'étonnèrent encore davantage, notamment dans le cas de Terrebonne. Jusqu'à la toute fin de la soirée électorale, en effet, la candidate, Lorraine Bégin, avait mené contre son adversaire Jean-Marc Robitaille. La chaîne de télévision RDI avait même annoncé sa victoire, et nous-mêmes, à *La Presse*, dans le brouhaha du *deadline*, rapportions qu'elle avait gagné. Heureusement, nous avons rattrapé notre texte *in extremis* juste avant d'aller sous presse. Parce qu'en fin de soirée il y eut finalement un coup de théâtre. Le dépouillement du scrutin par anticipation, qui est toujours ouvert en dernier, renversait complètement la situation: Jean-Marc Robitaille obtenait 915 voix et Lorraine Bégin 403. Celle qu'on avait crue gagnante venait d'être défaite par 181 voix.

Dans l'article que je publiais le lendemain, je soulignais sa déception. Puis les choses en sont restées là. Mais voilà que, quelques jours plus tard, un enquêteur de la direction générale des élections avec qui je bavardais de choses et d'autres me raconte toute une histoire. Il y avait, me disait-il, des groupes très bien organisés qui sévissaient depuis quelques années dans la région, en particulier dans les municipalités de la rive nord de Montréal que je couvrais depuis déjà un an. Ces organisateurs orchestraient ni plus ni moins les campagnes électorales dans plusieurs municipalités, leur machine était très bien rodée, ils avaient des moyens importants pour placer leurs candidats dans les sièges des élus municipaux. L'enquêteur ajoutait qu'il travaillait sur toute l'affaire depuis longtemps, que l'histoire allait bientôt sortir et que cela ferait du bruit.

Les jours passent, les semaines, les mois passent. Rien. Je mets moi aussi l'histoire de côté. Je ne pouvais tout de même pas publier un article à partir d'un témoignage confidentiel.

Au cours de l'année suivante, cependant, comme j'avais souvent l'occasion de parler avec d'autres protagonistes du milieu municipal, je me suis aperçue qu'ils avaient tous des anecdotes plus ou moins similaires à raconter. Le problème était connu depuis longtemps. Des collègues plus anciens que moi à *La Presse* me le confirmeront. Ils étaient au courant bien que, faute de temps ou de preuves, ils n'aient jamais écrit sur la question. Je me suis alors souvenue des propos qu'avait tenus Pierre F. Côté, le directeur général des élections, lors de son départ à la retraite en juillet 1997. Dans une entrevue au *Soleil*, il déclarait qu'un ménage s'imposait dans certaines municipalités de la région de Montréal. Il précisait qu'il était de notoriété publique qu'un maire de la région fonctionnait à coups de ristournes.

Que le directeur général des élections sonne lui-même l'alarme et que pourtant il ne se passe rien m'a passablement intriguée. Il fallait fouiller ça davantage, je me suis donc lancée. Le travail a été long et ardu. Car la plupart de ceux qui se confiaient à moi le faisaient sous le couvert de l'anonymat, ce qui est très problématique en journalisme. Les uns ne voulaient pas être cités dans le journal de peur de perdre un contrat avec la municipalité, ou d'être poursuivis ; d'autres craignaient pour leur sécurité personnelle — certains organisateurs ne sont pas vraiment des enfants de chœur, croyez-moi ! Il me manquait donc du concret, du solide à quoi j'aurais pu raccrocher tout le reste. Mes patrons non plus ne voulaient pas s'exposer à des poursuites. Bref, tout cela n'a pas été facile. Mais je sentais beaucoup de frustration chez des politiciens, des avocats, des ingénieurs, des professionnels, tous gens honnêtes, qui dénonçaient la situation depuis longtemps avec l'impression de parler dans le désert.

Un jour, je suis finalement tombée sur une cassette. On y entendait justement l'organisateur d'un parti municipal lors de la campagne électorale de 1997. Cet organisateur avait été enregistré à son insu au local électoral du candidat par un homme que nous appellerons Rémi et qui prétendait vouloir travailler pour lui. Pour un journaliste, cette cassette était une bombe.

Que contenait-elle? À un certain point, l'organisateur demande à Rémi de faire sortir le vote — ce qui est quand même assez répandu et, d'une certaine façon, admis — dans un quartier de la banlieue de Terrebonne, Saint-Jean: «Plus tu vas m'en sortir, plus je vais t'offrir gros», dit-il, en précisant quand même que Rémi devait se faire passer pour un bénévole. Sur un ton un peu désespéré, celui-ci répond qu'il a besoin d'argent et que, s'il faut faire plus, il est prêt: «Si t'es capable, si t'as d'autres idées, j'embarque, je te le dis, si t'as d'autres idées, j'embarque.» Ce à quoi l'organisateur répond: «C'est dangereux les autres idées que j'ai. Ça, monsieur, c'est des actes illégaux.» Cela ne l'empêche pas d'exposer son plan: dans la liste électorale de Terrebonne, on repère les électeurs de dix-huit, dix-neuf ans, puis, avec une équipe de jeunes, on va voter à leur place par anticipation.» «Attends, je ne te comprends pas là», dit Rémi. L'organisateur lui explique: on prend simplement le nom et l'adresse de quelqu'un dans la liste, on se présente au bureau de scrutin et on vote à sa place. Il dit que lui-même a fait ça souvent, qu'il n'y a pas de problème, c'est facile.

En réalité, l'organisateur en question travaillait pour Claude Dumont, très bien connu dans le milieu municipal de Montréal et convoité par tous. Il gagne toujours ses élections. Il a notamment travaillé pour Pierre Bourque à Montréal, Claude Gladu à Longueuil, Gilles Vaillancourt à Laval. Sur ses rapports de dépenses électorales, il a toujours indiqué des sommes dérisoires. Dans le cas des dernières élections à Longueuil, par exemple, il n'a mis que 2756 dollars. Pourtant, tout le monde sait dans le milieu que, en fait, Claude Dumont demande des dizaines de milliers de dollars pour ses campagnes. Comment le paie-t-on alors? J'ai deux exemples, mais il y en a sûrement d'autres.

À Laval, M. Dumont a une entreprise qui a obtenu un contrat de détection de micros à l'hôtel de ville pendant des années. En dix ans, il a empoché 340 000 dollars pour détecter les micros une fois par semaine dans le bureau du maire Vaillancourt. Le conflit d'intérêts est ici assez flagrant. À Montréal, en 1998, il a organisé une partie de la campagne électorale de Pierre Bourque. Ses émoluments ont été payés par la ville de Montréal, comme s'il s'agissait de dépenses de recherche ou de secrétariat.

Claude Dumont travaille avec au moins une demi-douzaine d'organisateurs du même acabit qui sont un peu dépêchés dans les municipalités de la banlieue de Montréal. Voilà pourquoi on retrouve à peu près les mêmes slogans un peu partout. Mais, on l'aura compris, ce ne sont pas vraiment eux qui offrent les élections clef en main. Ce ne sont que des pièces d'une machine plus complexe. Il y a d'autres personnes qui proposent carrément aux candidats éventuels de s'occuper de tout, événements, publicité, discours, et bien sûr financement de la campagne. Par la suite, ils contactent entreprises et professionnels et leur garantissent les contrats de la municipalité s'ils contribuent financièrement à l'élection, autrement, ils n'auront rien. Voilà donc comment les choses se passent, bien que tout cela reste difficile à prouver. L'enquête que j'ai menée, en tout cas, laissait cet aspect en suspens.

Tout le monde sait pourtant dans le milieu que ceux qui financent les élections obtiennent en retour les contrats municipaux. C'est ainsi qu'une ville est gérée, non pas dans l'intérêt des citoyens mais dans celui des entreprises. En général peu intéressés à la politique municipale, les électeurs, de leur côté, laissent aller les choses. Pourtant, ces pratiques ont des conséquences directes sur la vie collective. C'est ainsi, par exemple, que, au lieu d'avoir un parc, on aura une autoroute, ou un parc industriel en face de nos maisons.

Est-ce que la publication de ce dossier sur les élections clef en main a provoqué des changements? C'est difficile à dire. Il me semble en tout cas qu'il a confirmé la nécessité de réformes, dont certaines existaient déjà à l'état de projets. On a ainsi finalement exigé une carte d'identification de l'électeur lors des dernières élections municipales, ce qui réduit considérablement les risques de voir quelqu'un voter pour quelqu'un d'autre.

Mais il y a aussi d'autres changements à la loi sur les élections et les référendums dans les municipalités, la direction générale des élections a plus de pouvoir et a institué, à la fin de l'été 1999, une enquête sur le financement des partis politiques dans les municipalités. Il reste à espérer que tout cela donnera des résultats.

Pierre Le François

L'éthique au quotidien dans l'administration publique

L'éthique dans les administrations, ce n'est pas une affaire *super cool*, pour reprendre une expression populaire. Ce n'est pas quelque chose de branché. On pense peut-être parfois que c'est simplement le dada du patron, qui a inscrit le thème à l'ordre du jour de la réunion et dont il faudra bien parler, alors qu'il y a des dossiers autrement plus sérieux qui attendent, par exemple le pouvoir des cadres dans un ministère ou dans une institution — qu'on voudrait accroître, évidemment. À côté, l'éthique, vraiment, c'est uniquement parce que le patron y tient. Mais est-ce si nécessaire ?

Pourtant, si on veut passer d'une éthique de l'interdiction à une éthique de l'adhésion pleine et entière, il faut un engagement ferme de la direction, des équipes de direction et éventuellement de chacun des membres, soutenu par un sens accru des responsabilités et du devoir. Hélas, ces dernières années, on a surtout insisté sur les droits ! La question des devoirs a été, me semble-t-il, un peu escamotée. L'équilibre entre les droits et les devoirs, ceux des individus comme ceux des grandes organisations, est de la sorte bancal. Les progrès dans la reconnaissance des droits de la personne n'ont pas été accompagnés d'un accroissement parallèle de la conscience des responsabilités. Il faut dire par ailleurs que l'encadrement fourni par les lois, les règlements, les directives, les codes des professions, la déontologie, contribue à donner l'impression que la réflexion éthique est chose assimilée et que des mesures additionnelles ne sont finalement pas nécessaires. Mais est-ce bien le cas et, d'abord, de quoi parle-t-on ici au juste?

Je suis de ceux qui croient que ce qui est en jeu dans nos discussions, ce n'est pas tellement la notion d'un bien quelconque, platonicien, existant quelque part dans le monde des idées, mais ce que les Grecs appelaient *phronesis*, cette prudence pratique qui fait qu'on tâtonne, qu'on chemine dans le doute mais toujours à la recherche de ce qu'il y a de mieux en tâchant d'éviter les écueils qui jalonnent notre route. Car malgré les mailles serrées du filet juridique et réglementaire, malgré les directives, les processus de gestion souvent lourds et les mécanismes de protection, l'actualité nous apporte régulièrement son lot de cas douteux du point de vue éthique. La fonction publique croit être à l'abri de ces scandales qui marquaient il n'y a pas si longtemps encore la vie politique; elle pense avoir atteint, comparativement au passé, une éthique de très haut niveau. C'est oublier la nature évolutive de la réalité devant laquelle il faut constamment faire un effort de réflexion et de prudence. Et cela est d'autant plus nécessaire que le pouvoir discrétionnaire des responsables publics s'est accru, que la marge de chacun s'est élargie et avec elle ont augmenté les tâtonnements et les risques de se tromper. Il en va ainsi partout, dans les relations fonctionnaires-élus, fonctionnaires-médias, fonctionnaires-citoyens.

Mais laissons là les généralités et tournons-nous vers les cas concrets de la vie de tous les jours. Parmi ceux-ci et en regard des questions qui incombent à l'administration d'une ville par exemple, il y a, entre autres, le domaine foncier, les contrats, les achats, la participation des fonctionnaires au conseil d'administration d'organismes sans but lucratif, les offres non sollicitées… Tout cela est très pratique, très concret. L'éthique ne s'éprouve pas seulement dans les très grandes questions, elle se vit aussi dans les plus petites choses quotidiennes. Que fait-on dans chacune de ces situations?

Considérons par exemple les frais dits de fonction, ces dépenses qui sont permises pour que vous puissiez faire face à diverses facettes sociales et de représentation de votre travail (rencontres avec des collègues, vie de l'organisation, etc.) et pour lesquelles vous voudriez vous passer aussi bien d'autorisation préalable que de vérification des reçus.

Il peut arriver ainsi qu'on se dise : « Voilà, je suis fatigué, ce week-end, j'irai me reposer dans les Laurentides. Je garderai les reçus… pour imputation aux frais de fonction. » Anodin, direz-vous ? Eh bien, même si cela était légal, cela m'apparaît ne pas être dans l'esprit des frais de fonction. Si cette dépense était scrutée publiquement, soutiendrait-on le même point de vue ?

En revanche, et bien que cela puisse faire jaser, j'autoriserai volontiers les dépenses du cadre qui a accueilli chez lui, dans le contexte d'un objectif partagé par la direction, une délégation venant de l'extérieur, qui a fait ce qu'il faut en termes d'hospitalité, et qui se présente avec un reçu raisonnable. Pourtant, murmurera-t-on : « Si les journalistes voient ça ! Il va y avoir un scandale, on a donné un repas, le vin a coulé… Terrible ! » Eh non, voilà ce qui, à mon sens, fait partie des fonctions d'un cadre supérieur ! On dira que, bien sûr, il faut tenir compte des circonstances et du caractère répétitif ou non de telles dépenses. Et aussi du caractère franchement raisonnable des dépenses !

Prenons maintenant le cas des relations fonctionnaires-fournisseurs. Je me souviens d'une certaine commotion qu'avait causée à la ville le rappel aux différents services qu'il était inacceptable que des fournisseurs commanditent les activités sociales, comme un tournoi de golf ou une réception de Noël, au bénéfice d'un groupe particulier d'employés pouvant éventuellement traiter avec ce même groupe de fournisseurs. Mais non, nous a-t-on répondu, ce n'est pas dangereux, c'est l'époque joyeuse des fêtes ! Oui, mais, lorsque viendra le moment d'exercer son pouvoir discrétionnaire, il me semble qu'il y a des noms qui vont revenir plus rapidement en haut de la liste que d'autres, non ? Bien sûr, on admet volontiers qu'il n'y a pas là de tricherie, de fraude, mais ce n'est pas éthique parce que ce n'est pas prudent. La directive qu'on avait alors émise me valut quelques commentaires bien sentis dans les pauses café…

De même, je pense qu'il ne serait certes pas prudent de permettre aux employés, ainsi qu'à leurs proches, de participer aux ventes à l'encan effectuées par la fourrière municipale. C'est merveilleux la fourrière municipale montréalaise, on y trouve de tout, Eaton ce n'est — n'était — rien à côté ! Évidemment, si vous êtes l'organisateur de la vente à l'encan, il pourrait vous paraître stupide de laisser aller tel ou tel meuble, instrument, outil, etc., peut-être qu'il serait beaucoup mieux utilisé, qui sait ?, chez vous ou même au bureau, à la ville… Non, vraiment, ni les fonctionnaires ni aucun de leurs proches: ce n'est pas prudent! Il faut féliciter le service responsable d'avoir toujours scrupuleusement suivi cette règle de base.

Autre cas de réflexion et d'analyse, les contrats. Ah! les contrats! Il y a toute une mythologie au Québec autour des contrats. Les contrats, c'est souvent suspect, même s'ils sont lourdement encadrés et que les procédures afférentes sont pointues. Il est vrai qu'on a peu à peu, dans les administrations, accru les délégations à ce titre afin de permettre une flexibilité souhaitable et souhaitée. Quoi qu'il en soit, on remarque quelquefois que ceux-là mêmes qui voudraient modifier les règles du jeu quand les contrats sont octroyés par des paliers supérieurs, estiment, quand ce sont eux qui doivent attribuer des contrats, pouvoir ou devoir contourner les règles: «Pourquoi suis-je obligé de faire un appel sur invitation à trois personnes ou à trois entreprises? Ce n'est pas nécessaire, c'est un petit montant qui est en cause, je vais régler ça simplement.» Il s'agit ici en effet de concilier efficacité et prudence.

À propos de la marge de manœuvre dont disposent les fonctionnaires, je me souviens du jour où j'ai été amené à citer, dans une réunion d'élus, les mots célèbres de l'astronaute John Glenn au moment du décollage de sa fusée: «Dire que je suis assis dans la fusée faite par le plus bas soumissionnaire!» Là, tout le monde s'est arrêté, on m'a regardé: «Y a-t-il quelque chose d'autre dans le dossier?» Grâce à la sagesse du législateur, on a modifié, il y a deux ou trois ans, certaines dispositions des lois municipales, pour qu'on tienne compte, lors de l'attribution de contrats, de plusieurs éléments et non plus uniquement du prix. Marge de manœuvre ne signifie pas imprudence.

Les conflits d'intérêts ne sont pas toujours d'ordre financier, il est utile de le souligner. Ils peuvent être à l'occasion idéologiques. Ainsi, entre autres, je me souviens d'une affaire qui m'avait particulièrement horripilé et qui mettait en cause les rapports fonctionnaires-élus et le sens de l'éthique; il m'avait fallu d'ailleurs quelques mois pour la découvrir. Parce qu'ils estimaient connaître ce qui est «bien», des fonctionnaires, conseillers en matière de politiques publiques, avaient décidé de décourager par divers moyens l'adoption d'enfants de pays en voie de développement. Ils menaient leur propre politique, convaincus de la justesse de leur cause. Indépendamment de l'opinion qu'on peut avoir d'un sujet de ce type, il n'en demeure pas moins dans notre système que la responsabilité de la décision appartient aux décideurs politiques. Agir autrement est un grave manquement. Comme le serait d'ailleurs le fait de ne pas faire valoir honnêtement son point de vue auprès des élus si on estime en conscience qu'on devrait retenir telle ou telle solution. Il faut en effet savoir défendre intelligemment, et vigoureusement à l'occasion, ses positions. Mais une fois la décision prise, il faut impérativement se commettre ou se démettre.

Et non pas, comme on a pu le voir dans le passé en certains services publics, heureusement dans des situations peu nombreuses, faire appel à la population par des voies détournées dans le seul objectif de défendre sa vision personnelle et la cause en laquelle on croit, en l'absence de soutien de la part d'élus responsables de la question. Rien, absolument rien ne justifie ce genre d'opération, si ce n'est dans les cas de fraude présumée ou de menace appréhendée à la sécurité, et alors seulement après avoir épuisé les recours habituels. De tels cas d'appel au grand public ont défrayé la chronique il y a quelques années. Sans remettre en cause l'engagement de ces fonctionnaires ni leur stimulante passion, il faut convenir qu'il peut s'ensuivre un imbroglio qui ne sert pas à terme l'intérêt public. C'était là sûrement de mon point de vue un accroc majeur à l'éthique.

Même dans les relations avec des organismes sans but lucratif, des conflits d'intérêts peuvent venir brouiller les pistes, et cela, bien que l'on estime souvent que, parce qu'il s'agit d'un OSBL, il n'y a pas de crainte à y avoir en la matière. Un OSBL est sans but lucratif, oui, mais il est aussi privé, paie des salaires, donne des contrats, reçoit peut-être des subventions. On semble souvent croire au Québec qu'un tel type d'organisme est à l'abri de conflits d'intérêts du fait de son statut. Il n'est donc pas surprenant que des fonctionnaires autorisés, le cas échéant, à participer aux activités de ces organismes, notamment comme membres du conseil d'administration, croient de bonne foi ne pas se trouver en conflit d'intérêts dans leurs tractations avec l'employeur au nom de l'organisme. Or lorsqu'un fonctionnaire, même pour une bonne cause, utilise sa position pour favoriser une institution où il siège, en particulier dans l'octroi d'une subvention, il y a un problème puisqu'on attendra généralement du même fonctionnaire une neutralité certaine dans l'arbitrage du dollar budgétaire face à de multiples sollicitations. Encore ici la prudence est de mise.

D'autres cas de conflits d'intérêts potentiels mériteraient d'être soulignés, tels ces jurys dont la composition favorise à terme les «retours d'ascenseur». Mais je voudrais plutôt aborder maintenant un dernier cas, celui des offres non sollicitées formulées auprès de responsables publics par des représentants d'entreprises privées. Un domaine qui présente certes des avantages, mais où la prudence est de mise, où l'éthique peut être mise à rude épreuve. Comment le traiter? Il y a ceux qui disent: «Je me cache derrière le livre», et ceux qui pensent: «C'est pas bête, on devrait y regarder de plus près.» Depuis un an d'ailleurs, à l'Institut pour le partenariat public-privé, un organisme sans but lucratif dédié à la réflexion et à la promotion des diverses formes de la collaboration public-privé, nous discutons avec les gens du secrétariat du Conseil du trésor pour voir comment on pourrait simultanément encourager le privé à faire des suggestions, voire des propositions au secteur public, maintenir la compétition et récompenser une telle initiative privée en protégeant l'intérêt public. Comment faire ça? L'expérience étrangère peut nous être utile ici notamment en regard tant des modalités que des préalables, au premier chef desquels on retrouvera la transparence et le nécessaire maintien à terme de la compétition. Il semble, et c'est fort intéressant, qu'on sera capable à la fois de stimuler l'initiative privée, d'apporter une plus-value au niveau des services à rendre… et de garantir l'intérêt public. Le Conseil du trésor va ainsi peut-être conclure cette affaire au printemps prochain par un projet de modification du règlement sur l'octroi des contrats. Il faudrait éventuellement élargir la portée de cet encadrement à l'ensemble des réseaux, question d'avoir le même niveau de transparence partout et, en même temps, de favoriser la mobilisation d'énergies qui ne demandent qu'à l'être.

En abordant ces quelques cas concrets de la vie d'un administrateur public, je ne prétends certes pas avoir été exhaustif ni faire œuvre savante; j'ai cherché plutôt à montrer comment la *phronesis* doit nous guider dans les décisions à prendre et les jugements à prononcer dans le tohu-bohu du quotidien et à l'égard de questions qui recèlent parfois plus d'embûches qu'en apparence. Je crois enfin qu'au-delà des lois, des règlements, des directives, des codes d'éthique, des codes des professions, au-delà des processus de gestion, des mécanismes de protection qui assurent le maintien d'une éthique certaine, ce qui est requis pour une éthique qui dépasse l'interdiction, c'est un engagement personnel et collectif, engagement renouvelé, soutenu, renforcé par une discussion permanente des enjeux qui aident à éviter les écueils, grâce à cette prudence pratique dont j'ai parlé et qui est certainement une vertu plus que jamais nécessaire.

Alban D'Amours

Culture des organisations
et prévention des conflits d'intérêts

Mes responsabilités d'inspecteur et de vérificateur général du mouvement des caisses Desjardins m'ont amené, il va sans dire, au cours des dernières années, à porter des jugements et à faire appel à la responsabilisation en matière d'éthique. La présidence du centre hospitalier universitaire de Québec m'a fait plonger dans un monde où l'éthique est omniprésente, mais dont les questionnements qu'elle requiert souffrent des chocs culturels profonds vécus par les organisations de la santé.

Je conçois l'éthique comme la recherche du sens moral à donner à nos actions. C'est une discipline de réflexion critique par laquelle on s'interroge constamment sur la conduite humaine et au moyen de laquelle on évalue des comportements selon qu'ils sont bons ou mauvais, acceptables ou inacceptables, en fonction de principes faisant appel à l'autonomie de réflexion et de décision et à la responsabilisation. L'éthique fait aussi appel au sens pratique. Elle n'est pas une discipline scientifique de la connaissance factuelle. Elle s'intéresse plutôt aux théories normatives et à l'usage des principes qui en découlent pour donner un sens aux comportements ou porter un jugement.

L'éthique et la culture d'une organisation sont intimement liées et les valeurs en sont les piliers. Dans toute entreprise privée ou publique, on s'attend à ce que les règles soient appliquées, les lois respectées, les normes vérifiées, mais il y a plus, on doit y retrouver un système de valeurs ou de croyances qui font que les agissements apparaissent tout à fait corrects. La culture de l'entreprise, lorsque les employés et les dirigeants en sont imprégnés, donne le sens aux décisions et aux actions. Elle valorise l'autodiscipline. Cependant, cette culture évolue. Donc, ce qui était acceptable au plan de l'éthique il y a plusieurs années ne l'est peut-être plus aujourd'hui.

Lorsque les changements culturels sont profonds et multiples parce que la société change, que la gestion des entreprises devient plus complexe, que les frontières de son environnement s'éloignent rapidement, que les acquis personnels sont menacés, les apparences ou les situations de conflits d'intérêts se multiplient. Surgit alors le besoin de doter l'entreprise d'une déontologie pour gérer les nouveaux risques. L'éthique est alors rattachée davantage à des devoirs et à des obligations imposés par la direction qu'à la mise en commun de valeurs partagées par les membres de l'organisation. Dans la mouvance de la mondialisation, les entreprises se réfugient rapidement derrière des codes déontologiques, poussées en cela très souvent par des lois contraignantes. Pour survivre et se développer, elles veulent gagner la confiance, écarter tout scandale. La confiance a en effet une valeur économique très élevée et les entreprises trop souvent prennent le raccourci des codes plutôt que de se tourner vers la «quête de sens».

Quelques références à l'histoire du mouvement Desjardins me permettront d'illustrer mes propos. Les dirigeants du mouvement Desjardins ont, depuis sa naissance, propagé l'éthique de la coopération. Au début du siècle, la force de la culture coopérative suffisait pour encadrer les comportements. L'éthique du bien commun régnait ; les valeurs de solidarité, d'entraide, de secours mutuel se vivaient de façon plus spontanée. L'isolement des populations favorisait l'émergence d'un fort sentiment d'appartenance à leur milieu. L'éthique de la coopération était intimement liée à la mission de la coopérative.

À ses débuts, la caisse ne pratiquait que le crédit dit productif. Les besoins de la population s'y limitaient. Vinrent l'urbanisation et la société de consommation ; Desjardins a vécu alors une première crise des valeurs. Ce n'est qu'après de longs débats que les caisses ont consenti des prêts à la consommation. Un autre débat tout aussi lourd de conséquences attendait les dirigeants lorsqu'ils ont été confrontés à la décision d'offrir aux membres des caisses l'usage d'une carte de crédit, Visa en l'occurrence. En vertu de l'éthique de la coopération, il était inacceptable de promouvoir l'usage d'une carte de crédit. C'était contraire aux intérêts des membres. On connaît la suite des événements. Desjardins domine maintenant le marché au Québec. Par ailleurs, cette éthique de la coopération a favorisé d'autres décisions, comme l'avènement de la carte de débit. Il est maintenant reconnu que l'essor des cartes de paiement direct au Québec et au Canada est redevable au leadership de Desjardins dans la promotion de ce moyen de paiement. Un autre exemple où l'éthique de la coopération a joué un rôle favorable : l'environnement. Desjardins a été la première institution financière au Canada à opter pour la protection de l'environnement en l'inscrivant dans ses pratiques de crédit.

Les tensions éthiques sont courantes dans le mouvement Desjardins. La mondialisation des économies les stimule. Les concurrences nouvelles sur tous les marchés ont des effets sur le comportement des consommateurs, y compris les membres des coopératives, et cela non seulement au Québec, mais partout dans le monde. Aujourd'hui, l'individualisme du consommateur est sans cesse stimulé. Cela se voit dans le domaine des services financiers probablement plus qu'ailleurs, où les choix, sous l'influence des conseillers financiers instruits à l'éthique du profit, sont de plus en plus motivés par le seul enrichissement personnel. Les achats, les placements ou les investissements obéissent désormais à la seule logique du rendement ou du gain individuel et peu de cas est fait de leurs conséquences sur l'investissement collectif ou le développement du milieu.

En conséquence, de nombreuses pratiques commerciales dans les caisses ont été modifiées au cours des dernières années ne manquant pas de soulever de nombreux débats.

L'éthique de la coopération n'est pas obtuse. Elle s'ouvre aux besoins des individus et de la société, qui ne cessent d'évoluer, de se transformer. Cependant, la portée morale des discussions chez Desjardins, autant celles d'hier que celles d'aujourd'hui, ne cesse de propulser l'entreprise au centre de débats émotifs sur sa place, son rôle, ses responsabilités à l'égard du développement socioéconomique du Québec. Desjardins est observé, scruté dans tous ses changements, et les discours traduisant ces débats nous ramènent invariablement à l'éthique de la coopération.

Dans ce contexte, la notion de conflit d'intérêts prend une dimension qui déborde la question des avantages personnels des dirigeants. Desjardins doit faire passer avant toute chose l'intérêt des membres et de leur milieu.

C'est dans cette perspective globale et avec référence aux valeurs de la coopération que se gèrent à l'aide de codes déontologiques les questions de conflits d'intérêts, apparents ou réels, chez Desjardins.

À ce stade de mon exposé, permettez-moi d'explorer l'approche quotidienne de résolution ou de prévention de conflits d'intérêts dans une organisation comme Desjardins. Je ferai à nouveau un bref retour sur l'histoire.

Les premières opérations financières d'une caisse étaient relativement simples. Elle recueillait les épargnes et prêtait à la hauteur de ses liquidités. Les prêts étaient en pratique des prêts d'honneur. La confiance de l'épargnant était ainsi assurée. Étant le produit d'une solide culture de la coopération, le maintien de la confiance était et demeure pour Desjardins l'outil de prévention des conflits d'intérêts le plus puissant.

Alphonse Desjardins était conscient que cette confiance devait se mériter par une gestion vigilante et prudente. La caisse accumulait donc avec prévoyance, année après année, un niveau de réserves suffisantes pour absorber les mauvais coups. La diversification des portefeuilles, la gestion plus complexe des risques, l'explosion du crédit, la concurrence entre institutions financières et la mise en place de l'assurance-dépôts en 1970 ont modifié considérablement l'environnement des caisses Desjardins. La garantie financière offerte à l'ensemble des institutions financières a remplacé la confiance et le sens de l'honneur jusqu'alors reconnus comme piliers de la sécurité. La générosité des endossements a donné lieu à des abus et les gouvernements ont réagi en resserrant les conditions à respecter pour bénéficier de l'assurance-dépôts.

Les normes et les réglementations se sont multipliées, elles se sont internationalisées et l'obligation de conformité s'est installée comme certificat de bonne conduite. Les contrôles gouvernementaux ont pris le relais, mais leur lourdeur a vite ramené les entreprises et les gouvernements à chercher de nouvelles avenues pour restaurer ou maintenir la confiance à leur endroit.

Ils ont trouvé la voie dans la promotion de règles de gouvernance ou de régie d'entreprise fondées sur la responsabilisation et l'autodiscipline. Dans la foulée de ces changements, Desjardins, aidé en cela par la loi des caisses modifiée à la suite du congrès de 1996, et fort de sa culture, a misé sur le rôle et les responsabilités des dirigeants et des employés.

Ces rappels historiques nous amènent à reconnaître les deux fondements culturels de l'approche Desjardins, soit les valeurs de la coopération, qui transcendent les changements survenus depuis cent ans, et la responsabilisation des dirigeants. Dans la pratique, les dirigeants ont la responsabilité de juger une apparence ou une situation de conflit d'intérêts en se référant aux valeurs de la coopération. La complexité des situations requiert par ailleurs l'usage d'un code déontologique. Ce code a été adopté au milieu des années quatre-vingt-dix à la fois pour répondre aux besoins des conseils de vérification et de déontologie des caisses, des fédérations et de la confédération, et pour respecter la loi qui en a fait une exigence depuis 1988. La confédération a depuis cette époque la responsabilité d'adopter et de faire respecter une politique en matière de déontologie fondée sur des principes directeurs et devant présider à l'élaboration des codes déontologiques pour elle-même et pour les caisses et les fédérations.

L'élaboration de cette politique et des codes a fait l'objet d'une vaste consultation des dirigeants et des employés. Le processus interactif emprunté pour mener à terme le projet a donné lieu à de nombreux tests de cohérence avec les valeurs éthiques de la coopération.

Dans le mouvement Desjardins, il est clair que la déontologie n'a pas pour seul but l'observance de la loi; elle vise d'abord au respect intégral des intérêts des membres, propriétaires de l'organisation, et au maintien de la confiance qu'ils doivent pouvoir entretenir à son égard. Cette relation est forcément tributaire de la perception que les membres ont de la rigueur et de la transparence de l'administration, du souci que l'entreprise accorde à leurs intérêts et de la fiabilité de ses dirigeants et de ses employés.

L'intérêt des membres et de l'entreprise doit donc toujours primer dans les décisions à prendre. Pour éviter, autant que faire se peut, toute situation de conflit d'intérêts et même toute apparence de conflit d'intérêts, il a semblé important d'étendre le concept d'intérêt personnel au-delà du simple critère financier et d'y englober notamment des considérations d'ordre politique, social, professionnel et religieux.

Les règles de déontologie sont des balises qui mettent en évidence certaines situations délicates. Elles ne pourront jamais, cependant, couvrir explicitement toutes les situations. Ce sont, à la limite, les grandes valeurs de respect de la personne, de respect de la vérité, de respect du bien commun, de respect des lois et règlements et, enfin, de respect de l'organisation, qui doivent rester les repères et les critères ultimes pour un jugement éclairé sur les situations. Soucieux du plus grand respect des personnes qu'il a mission de servir, le mouvement Desjardins accepte également d'assujettir ses actions aux standards les plus rigoureux qui ont cours dans son champ d'activité propre, celui des services financiers.

Cet engagement du mouvement ne peut, toutefois, se réaliser que dans la mesure où chacune de ses composantes de même que chacun de ses dirigeants et de ses employés fait de la politique et du code des guides concrets éclairant sa propre conduite dans l'exercice des rôles et responsabilités qu'il assume au sein du mouvement. Chaque personne concernée a donc le devoir impérieux de respecter les principes et règles énoncés pour en favoriser une meilleure application dans son entourage. Elle est aidée en cela par la pratique de l'autodiscipline et l'expression par la population d'attentes très élevées à l'égard de Desjardins en matière d'intégrité et de contribution sociale.

Aux fins d'application, les codes prennent soin de bien définir les termes et les expressions d'usage pour étayer les jugements à l'égard des conflits d'intérêts. On y trouve une distinction claire entre un risque ou une apparence de conflit d'intérêts et une situation réelle de conflit d'intérêts.

Le risque ou l'apparence de conflit d'intérêts est une circonstance où un dirigeant ou un employé a la possibilité de prendre une décision ou de participer à une décision ou d'influer sur une décision pouvant favoriser ses propres intérêts, ceux de personnes intéressées ou de personnes qui lui sont liées de préférence à ceux de la caisse, de ses membres ou d'une composante du mouvement Desjardins. La situation de conflit d'intérêts est celle où, par action ou omission, un dirigeant ou un employé a pris une décision ou participé à une décision ou a influé sur une décision favorisant ses propres intérêts, ceux de personnes intéressées ou de personnes qui lui sont liées de préférence à ceux de la caisse, de ses membres ou d'une composante du mouvement.

Les codes proposent par la suite des règles pour assurer l'intégrité des opérations et la confidentialité, pour respecter les devoirs de divulgation et identifier les responsabilités d'application.

Comme on peut le constater, la préoccupation éthique de Desjardins ne date pas d'hier. Elle s'est manifestée bien avant l'apparition des codes déontologiques ou des règles de régie que les entreprises et les organismes publics se voient imposer dans le cadre des lois ou de la mondialisation. L'approche de Desjardins est efficace et dirigeants et employés peuvent alors facilement s'autodiscipliner à la lumière d'une approche jurisprudentielle.

J'ai pris le détour Desjardins pour camper l'idée que la culture et les valeurs qu'elle propage sont l'assise de toute démarche pour prévenir ou régler toute apparence ou situation de conflit d'intérêts. Voilà pourquoi j'ai été discret jusqu'ici sur le traitement de la question éthique en milieu hospitalier. Les considérations éthiques sont, là, omniprésentes, mais elles ne réussissent pas à mobiliser les esprits pour renforcer sa culture. Bien sûr, les membres des conseils d'administration ont dû récemment, pour répondre aux exigences de la loi, adopter un code déontologique. Bien qu'il les invite à partager des valeurs de loyauté, d'intégrité, d'honneur, de dignité et de probité, il est standard.

La bioéthique par ailleurs a des assises plus lointaines. Elle sera au centre de tous les débats à venir. Elle devra cependant élargir son champ de réflexion au-delà des différents codes professionnels afin d'imprégner la culture hospitalière. De la même façon que l'éthique de la coopération met les intérêts des individus et de la société avant toute chose, « l'éthique de la santé » devra traiter les intérêts des malades de la même façon. Il y a plusieurs années, on voyait Dieu dans le malade, plus tard on y a vu le bénéficiaire et aujourd'hui on y voit coûts et revenus. Bien que tous les travailleurs et professionnels de la santé ne cessent de manifester leur compassion à l'égard des malades et que la qualité des soins soit reconnue par tous, la culture hospitalière doit développer une vision intégrée des intérêts du malade afin de le placer avant toute chose. Une telle éthique de la santé ne peut qu'avoir des effets bénéfiques sur les façons de faire, ne peut qu'inspirer toute démarche d'amélioration continue et ceux et celles qui cherchent à réconcilier les intérêts des malades et des travailleurs et professionnels de la santé.

J'ai la ferme conviction que la culture d'une organisation, dominée par une éthique fidèle aux valeurs partagées par l'ensemble des dirigeants et des employés, offrira la meilleure garantie contre les conflits d'intérêts. Les codes ne viennent que mieux guider le jugement de situations particulières.

TROISIÈME PARTIE

La gestion de crises

Luc Lavoie

La gestion des crises et les personnes publiques

Nous vivons dans une société hypermédiatisée. Il y a plus d'une décennie, nous vivions dans un univers médiatique où on retrouvait un certain nombre de grands quotidiens, quelques grands réseaux de télévision et plusieurs stations radiophoniques. On s'émerveillait encore des télécopieurs et des téléphones portables. Dans le domaine de l'information, les réseaux de télévision venaient tout juste de terminer le passage de la pellicule 16 mm, qui nécessitait un long processus de développement et de montage, à la caméra vidéo.

On connaît tous la suite. Depuis le début des années quatre-vingt-dix, il y a eu une accélération sans cesse croissante. L'univers médiatique s'est transformé du tout au tout. En langue française comme en langue anglaise, nous avons accès à deux réseaux d'information continue à la télévision en plus des réseaux traditionnels. Je passe sur les autres nouveaux venus dans le monde de la télévision. Mais surtout, la révolution technologique a totalement bouleversé la façon de traiter l'information télévisuelle. Le direct est devenu un jeu d'enfant et les réseaux d'information continue sont carrément obsédés par l'idée de constamment mettre à jour la dernière nouvelle. La concurrence féroce que se livrent ces nouveaux médias fait en sorte que le plus petit détail prend des proportions hallucinantes. Et tout cela se déroule à une vitesse qui dépasse l'entendement. Les journalistes de la presse écrite disposent de moyens de transmission considérablement plus rapides, plus efficaces et plus sophistiqués que dans le passé et ils ont accès de manière continue via internet à une masse d'informations, ce qui autrefois nécessitait le travail d'une vaste équipe de recherchistes chevronnés.

La radio, qui a perdu le monopole de l'instantané, s'est trop souvent recyclée en boîte de défoulement collectif quelquefois délirante. Par charité chrétienne, je ne nommerai personne, mais je ne cesse de m'étonner de la surenchère verbale à laquelle se livrent les animateurs de radio. On a parfois l'impression qu'il n'y a plus de limite. Au diable la rigueur, ce n'est pas ça qui se vend!

Ajoutons à tout cela la croissance exponentielle d'internet qui crée de nouveaux moyens de diffusion ultra-rapide, dont le courrier électronique. Tout va très vite. Si je disais trop vite, les plus jeunes se paieraient ma gueule et ils auraient un peu raison, car je ne crois pas que nous verrons un jour le cycle de l'information ralentir. C'est comme ça, il faut faire avec. Mais force est de constater que, quand ces bolides à haute performance commencent à déraper, les dommages peuvent être très sérieux. Il n'y a rien comme une crise pour les encourager à accélérer au-delà de toute limite.

Prenons un exemple parmi d'autres, mais un exemple dont la charge émotive nous a tous marqués. Je parle ici de la grave maladie dont a été victime l'actuel premier ministre du Québec, Lucien Bouchard, à l'automne 1994. Dès que la nouvelle de sa maladie a été connue, le moteur de l'information instantanée s'est emballé. On rapportait qu'il avait été amputé d'une jambe, des deux jambes, d'un bras, des deux bras… c'était délirant. Et très ridicule. Non seulement diffusait-on toutes ces rumeurs, mais on les analysait, les commentait. Même le premier ministre québécois de l'époque s'était fait prendre au jeu et avait entrepris d'organiser des funérailles d'État.

Un peu comme les bolides de Formule 1 consomment des quantités incroyables d'essence à haut rendement, ces bolides de l'information sont des gloutons qui gobent et régurgitent aussitôt la moindre parcelle d'information. Si, comme les premiers, ils prennent parfois le champ, contrairement à eux, ils ne peuvent jamais s'arrêter. Ils ont donc un besoin constant de carburant à haut indice d'octane. Or, quel est le carburant idéal pour des performances optimales? La crise.

Vous êtes ministre depuis quelques années et votre carrière se déroule, ma foi, plutôt bien. Un beau jour, vous apprenez qu'un journaliste est sur votre cas. Il communique avec un de vos adjoints pour lui demander de commenter l'information qu'il s'apprête à rapporter dans son journal. Selon cette information, vous êtes grossièrement incompétent. Des adversaires, des ennemis vous accusent de favoritisme, peut-être de fraude. Vous êtes abasourdi, assommé. Votre interprétation des faits dont vous êtes accusé diffère totalement de celle qu'on vous soumet. Vous décidez de ne faire aucun commentaire car tout cela vous paraît totalement farfelu. Vous rentrez à la maison, rongé par l'inquiétude.

Le lendemain vous vous levez très tôt pour prendre connaissance du journal en question. La nouvelle est là, à la une, sous un grand titre ravageur. Vous êtes estomaqué. Machinalement, comme tous les matins, lorsque vous préparez votre café, vous allumez la radio pour vous rendre compte que l'animateur fait beaucoup plus que reprendre la nouvelle du journal, il la commente, vous dénonce, demande la tenue d'une enquête publique. Pis encore, des adversaires outrés crient au meurtre. Heureusement, votre numéro de téléphone n'est pas dans l'annuaire ni sur internet, sinon vous seriez interpellé en direct.

En sortant de la douche, vous allumez la télévision et, là aussi, on commente la nouvelle, on l'illustre d'images tournées le matin même et vos adversaires vous semblent encore plus outrés qu'à la radio, car leurs commentaires s'accompagnent d'un regard de feu. Comme tous les matins, vous vous présentez au travail et, dans l'entrée principale du ministère, vous sentez qu'on ne vous regarde pas comme d'habitude. On vous dévisage. Ceux qui vous connaissent assez pour vous adresser la parole vous font des blagues qu'ils sont les seuls à trouver amusantes. Si vous êtes chanceux, les caméras de télévision ne sont pas encore sur les lieux, mais vous vous doutez bien que ça ne saurait tarder.

À votre bureau, votre secrétaire vous informe que l'attaché de presse a reçu d'innombrables appels de journalistes. Vous avez le temps de parler quelques minutes à votre attaché de presse, le temps qu'il fasse état du ton agressif des appels qu'il reçoit. Un adjoint entre sans frapper pour vous apprendre que le chef de cabinet du premier ministre veut vous voir immédiatement. Avant d'y aller, vous relisez attentivement l'article qui a déclenché la tempête en vous attardant à chaque petit détail qui ne correspond pas à la stricte vérité. Vous en concluez que vous êtes victime d'une grave diffamation. Vous appelez un copain avocat avant de vous rendre chez le chef de cabinet. Il accepte de vous rencontrer quelques heures plus tard et vous supplie de ne faire aucun commentaire public en précisant que si, par accident, un journaliste réussissait à vous parler, il faut répondre par un «pas de commentaires» bien senti.

Finalement, vous rencontrez le bras droit du premier ministre. Vous le connaissez depuis très longtemps et il a confiance en vous. Il écoute vos explications et en conclut que tout cela est la faute des «maudits» journalistes. En votre présence, il contacte le directeur des communications, lui dit de s'occuper des appels de journalistes en leur répondant le même «pas de commentaires» bien senti que recommandait votre ami avocat. Sans entendre la réaction du directeur des communications, vous voyez votre copain prendre un ton très autoritaire en répétant qu'il faut répondre par un «pas de commentaires». Au moment de quitter son bureau, on lui apporte un message urgent, le premier ministre veut le voir immédiatement. Il part à toute vitesse en vous disant de ne pas vous en faire.

Une heure, une heure et demie plus tard, il vous convoque de nouveau et quand vous vous présentez à son bureau, il a l'air abattu. Il vous explique que le «pas de commentaires» ne suffira pas. Les journalistes font le pied de grue devant le bureau du premier ministre, qui ne pourra pas les éviter. Et même s'il y parvenait, cela ne changerait pas grand-chose, puisqu'il doit se présenter à la période des questions l'après-midi même. Vous devrez préparer une réponse plus élaborée pour le premier ministre, qui l'utilisera à la période des questions, et un communiqué de presse pour clarifier la situation.

Une réunion est convoquée à la demande du chef de cabinet. Elle rassemblera autour de la table des gens dont la tâche sera de préparer une note de service à l'intention du premier ministre et un communiqué de presse. C'est à ce moment qu'arrive enfin votre ami avocat. Vous insistez pour qu'il participe à la réunion. Vous passez une quinzaine de minutes en tête-à-tête avec lui. Et il se dit en total désaccord avec le bureau du premier ministre. Il est toujours d'avis que le «pas de commentaires» devrait suffire pendant que lui et les collègues de son bureau examinent la possibilité d'entreprendre des poursuites judiciaires contre le journal à l'origine de la nouvelle.

Finalement, la réunion commence par une mise à jour du dossier par le directeur des communications. En quelques heures, la nouvelle a pris beaucoup d'ampleur. Le relevé internet le démontre clairement, de nouveaux éléments sont venus s'ajouter au dossier. Les canaux de nouvelles continues font une constante mise à jour et des images des gardiens de sécurité qui empêchent les caméras d'entrer dans l'édifice où est situé votre bureau sont constamment diffusées. Les tribunes téléphoniques ne parlent que de ça et les animateurs de ces émissions affirment que ce qui était dans le journal du matin ne constitue probablement que la pointe de l'iceberg.

D'entrée de jeu, votre avocat déclare qu'il faut faire comprendre au premier ministre qu'il importe de garder le silence en attendant que le dossier soit analysé afin de déterminer s'il y a matière à poursuites. Le directeur des communications lui demande qui serait l'objet de ces éventuelles poursuites. L'avocat s'étonne de la question et répond: «Ce serait bien sûr le quotidien qui a diffusé cette exclusivité!» Le directeur des communications lui souligne qu'à vue d'œil il y a maintenant une vingtaine de médias différents qui ont diffusé la nouvelle. L'avocat répond qu'il faudra donc les poursuivre tous. Mais déjà, on peut voir qu'il est lui-même un peu dépassé par la tournure des événements.

Finalement, tous s'attellent à la tâche de préparer les deux documents demandés, la note de service et le communiqué de presse. Ce comité ad hoc accouchera péniblement de deux documents qui laisseront plusieurs questions sans réponse. Préparés à contrecœur, ces documents auront pour résultats d'empirer la situation. Ils auraient pu et dû contenir tous les faits connus, mais l'affrontement constant entre l'avocat et le directeur des communications a mené à des textes mi-chair, mi-poisson. De son côté, l'entourage du premier ministre n'aura pas le temps de les réviser et de les commenter, le comité ad hoc ayant terminé son travail juste avant le début de la période des questions.

Pratiquement toute la période des questions portera sur ce dossier et l'opposition s'en donnera à cœur joie. Conformément à la tradition, elle exigera un débat d'urgence puis la démission du ministre. Le président de l'Assemblée nationale fera de nombreux rappels à l'ordre et procédera même à l'expulsion d'un député qui aura tenu un langage antiparlementaire. Dans les médias, l'escalade se poursuivra jusqu'à ce que tout le Québec soit au lit et reprendra de plus belle le lendemain matin alors que les quotidiens feront tous la une avec ce dossier auquel ils ajouteront quelques nouveaux éléments juteux.

Je pourrais continuer plus longuement cette histoire inventée, je me contenterai de souligner que, si je poussais plus avant cet exemple, je devrais décrire tous les autres éléments propres à ce type de crise. Ces crises suivent toutes, lorsqu'elles sont mal gérées, la même courbe qui va du refus d'admettre qu'elles existent, c'est ce qu'on appelle communément la phase *denial*, au repli qu'on appelle souvent le *bunker mentality* — excusez les anglicismes. Les victimes de cette escalade diabolique sont toutes convaincues que, sans les «maudits» journalistes, tout cela n'arriverait pas.

Reprenons du début. Que faire lorsqu'un journaliste sérieux, à l'emploi d'une organisation sérieuse, vous informe qu'il s'apprête à publier une nouvelle qui pourrait être très dommageable? D'abord, tenez pour acquis que le journaliste n'est pas guidé par un désir mesquin de vous faire du tort. Le plaisir qu'il éprouve s'explique par le fait que, dans le monde férocement compétitif qui est le sien, une nouvelle exclusive, susceptible d'être reprise par tous les autres médias d'information et de monopoliser le débat politique pour une période importante, constitue le moment fort d'une carrière.

Ensuite, soyez convaincu que ce journaliste n'a pas inventé cette histoire. Les faits qu'il a entre les mains ont dû lui être communiqués par une ou des sources généralement crédibles. Au cœur d'une crise, les motivations de ces sources ont peu d'importance, seuls les faits comptent.

Acceptez que votre interprétation des mêmes faits que ceux communiqués au journaliste peut être colorée par vos émotions et qu'il est préférable de consulter une tierce partie moins touchée émotivement pour mieux comprendre l'approche du journaliste. Surtout, souvenez-vous d'une chose, plus importante que toutes les autres: tôt ou tard, toute la vérité sera connue. Les Formule 1 qui prennent le champ, comme je le disais plus tôt, reprennent toujours la route. Il est donc inutile et même stupide de tenter de cacher une partie de la vérité. La dynamique politico-médiatique est telle qu'en tentant de passer sous silence un ou des éléments de l'histoire vous en grossirez l'importance et, croyez-moi, vous vous en mordrez les doigts.

La gestion de crise se compose de quelques éléments clefs. Premièrement, la vitesse de réaction. Pour toutes les raisons exposées plus haut, vous ne devez pas laisser les bolides de l'information vous dépasser. Vous devez être au moins aussi rapide qu'eux. Deuxièmement, la rigueur. Je concède qu'il est difficile de concilier ce deuxième élément avec le premier. La rigueur requiert normalement un temps de réflexion.

Malheureusement, la dynamique médiatique moderne ne permet plus vraiment ce luxe, surtout pas en période de crise. Troisièmement, la franchise et l'honnêteté. Vous devez mettre toutes vos cartes sur la table. Même si une de ces cartes peut vous faire mal paraître, il est préférable de la tourner plutôt que d'attendre qu'elle soit découverte, laissant ainsi l'impression que vous avez voulu cacher quelque chose. Cet élément qui vous fait mal paraître sera de toute façon noyé sous tous les autres, et ultimement sous l'ensemble du dossier. Les journalistes, et à travers eux l'opinion publique, vous pardonneront bien des choses si vous arrivez à les convaincre de votre franchise et de votre honnêteté. Enfin, n'attendez pas que le moteur médiatique s'emballe pour donner votre interprétation des faits. Nos amis américains appellent ce processus *spin*. Ce mot très imagé est maintenant employé à toutes les sauces, mais à l'origine, il décrivait un ingrédient fondamental de la survie en politique : la capacité d'expliquer rationnellement et de façon crédible le pourquoi des choses.

En vertu de ces règles, qu'aurait dont dû faire le ministre, emporté par le raz de marée qu'on vient de décrire ? Premièrement, il aurait dû tenter, si cela était humainement possible, de fournir aux journalistes détenteurs du scoop les grandes lignes de sa version des faits.

Deuxièmement, puisque la veille de la publication de la nouvelle il n'y avait qu'un seul journaliste qui était au courant, celui qui s'apprêtait à publier cette exclusivité, l'ignorance dans laquelle se trouvaient les autres journalistes aurait dû encourager le ministre à se mettre immédiatement au travail avec toute son équipe et travailler toute la nuit si nécessaire pour être en mesure de prendre l'initiative du jeu très tôt le lendemain matin. Ce travail aurait dû comprendre la préparation de fiches techniques couvrant toutes les données du problème, un communiqué de presse très substantiel et allant droit au but et la logistique pour une intervention publique à grand impact. Cette équipe aurait dû établir des contacts directs avec un certain nombre de publics cibles, le cabinet du premier ministre et d'autres membres clefs du conseil des ministres et du caucus, etc.

Troisièmement, le ministre aurait dû faire une intervention publique sous la forme d'une conférence de presse ou de plusieurs entrevues, le plus tôt possible. Quatrièmement, il aurait dû prendre tous les moyens qu'offre la technologie moderne pour communiquer directement son message au plus grand nombre.

Finalement, il aurait dû mettre en place les outils nécessaires pour, et excusez l'anglicisme encore, «monitorer» tous les médias de manière continue et corriger immédiatement toutes les faussetés. Et de grâce, il aurait dû éliminer de son vocabulaire et de sa pensée le classique «c'est la faute aux journalistes». Cela est parfaitement inutile et, surtout, cela tend à colorer le jugement.

Une crise dans le secteur public se compare-t-elle à une crise dans le secteur privé? Oui et non. Oui, parce que la psychologie des individus impliqués dans une crise est essentiellement la même dans le public et le privé. Non, parce que l'imputabilité est fondamentalement différente. Forcément, les élus et les fonctionnaires de l'État sont imputables devant toute la population. Les dirigeants du secteur privé ont des niveaux d'imputabilité variables selon qu'on a affaire à des compagnies dites publiques ou à des compagnies dites privées ou selon leur secteur d'activités. Il n'en demeure pas moins qu'aucun organisme ne peut prétendre se mouvoir dans un vide complet. Tôt ou tard, toutes les institutions, publiques ou privées, doivent répondre de leurs actes. Devant Dieu et devant les hommes.

Marcel Proulx

De la gestion par les règles à la gestion éthique : les leçons des crises

Tout comme les politiciens, les universitaires ont tendance à ramener les questions qu'on leur pose à leurs propres champs d'intérêt. Je me permettrai donc de ramener la question des rapports entre éthique et crises dans le champ qui est le mien, celui de la gestion des organisations. Ma conviction est que les grandes crises sont pleines d'enseignement pour la gestion des bureaucraties, dans la mesure où elles obligent celles-ci à rompre avec leurs modes de fonctionnement habituels. Elles nous apprennent aussi beaucoup sur la manière dont on peut gérer de façon éthique, dans un cadre où les règles sont momentanément suspendues.

La question qui se pose ici est de savoir pourquoi le jugement éthique, qui guide les décisions lors des crises, est si facilement mis entre parenthèses dans le fonctionnement normal, habituel des organisations.

Prenons par exemple la crise du verglas ou celle déclenchée par les inondations au Saguenay. Quand les fonctionnaires concernés se rappellent ces périodes de crise, on perçoit chez eux une sorte de nostalgie : « Ah ! la crise, c'était le bon temps ! Quel moment extraordinaire où on a pu exercer notre jugement sans s'empêtrer dans un fatras de règles, de complications bureaucratiques!» Faire pour le mieux, se débrouiller, utiliser son jugement, n'est-ce pas merveilleux?

Un directeur d'hôpital m'expliquait récemment comment, dans son établissement, la crise du verglas avait été un moment de mobilisation générale. Ainsi, par exemple, les employés de tous les corps de métiers, habituellement très sourcilleux sur le respect des attributions qui leur sont réservées dans leur convention collective, se sont entraidés dans la recherche de solutions aux problèmes posés par le manque de personnel et la surcharge de travail. Personne ne s'est inquiété de sa définition de tâche, tout le monde à mis la main à la pâte, on a oublié temporairement les règles administratives.

Cette suspension momentanée des règles et son corollaire, l'utilisation du jugement éthique et du gros bon sens comme guides de conduite dans la définition des comportements acceptables, sont des caractéristiques majeures de la gestion en période de crise. Le fonctionnement des organisations bureaucratiques fait alors appel, beaucoup plus que d'habitude, à l'intelligence créatrice et au sens de l'éthique des fonctionnaires. Au vu de l'effet positif que cela a sur la mobilisation de ces derniers, il faut se demander si ce qui est bon en période de crise ne pourrait pas être appliqué en permanence dans les organisations publiques. Une des réponses à cette question tient à la nature même des organisations bureaucratiques, pour qui l'éthique est ramenée à des normes collectives plutôt qu'à l'exercice du jugement individuel.

Les bureaucraties croient depuis longtemps avoir réglé le problème de l'éthique personnelle en s'en débarrassant. Je m'explique: sans trop caricaturer, on peut dire que la bureaucratie, c'est un mode d'organisation où on a remplacé le jugement éthique par des codes de conduite, par un ensemble de règles qui permettent de préciser les comportements acceptables et ceux qui ne le sont pas. Tout cela est éminemment rationnel: la règle permet de traiter de façon égale l'ensemble des citoyens et d'éviter l'exercice arbitraire de l'autorité. En effet, le jugement individuel, même guidé par un souci éthique, implique nécessairement une part d'arbitraire. La bureaucratie a ainsi réglé le problème en inscrivant l'éthique dans un code pensé d'en haut. On pourrait donc dire que les bureaucraties sont des lieux où la morale existe, où les valeurs existent, mais inscrites, codifiées dans un ensemble de règles. Et on demande aux gens du terrain, non pas d'être vertueux, non pas d'exercer leur jugement, mais d'appliquer les règles. Car dans la mesure où ces règles sont elles-mêmes imprégnées de valeurs, le fonctionnement de l'organisation s'en trouvera par lui-même éthique.

Mais, doit-on se demander, un catéchisme constitue-t-il une morale? Plusieurs ont dénoncé ce genre de confusion. Un certain nombre de nos réformes, dont celle qui est actuellement en voie d'adoption dans la fonction publique québécoise, vont dans ce sens: remettre en cause l'idée que la bureaucratie et les règles engendrent naturellement un comportement éthique. Dans *Les bâtards de Voltaire*, John Saul tenait à cet égard un propos «décapant» et extraordinairement dur à l'égard des bureaucraties et des grandes organisations en les accusant d'aller contre la morale et contre le bon sens. Les grandes organisations ont perdu le sens de l'éthique, disait-il, parce que la bureaucratie se met au service d'un projet pensé d'en haut sans jamais en interroger les fondements moraux. Autrement dit, le technocrate ne se pose pas de questions sur la justesse de son action. Celle-ci est juste dans la mesure où elle respecte les règles, d'où l'importance, parmi les principes fondateurs de nos organisations, de la loyauté. Écrivant sur la personnalité bureaucratique, Robert Merton disait que, dans les organisations bureaucratiques, on a fini par croire que respecter les règles était en soi vertueux, indépendamment du projet derrière les règles.

Pourquoi les gestionnaires, les fonctionnaires auraient-ils besoin d'exercer un jugement éthique alors qu'ils peuvent compter sur un système de règles, de procédures, de normes bien pensées? En fait, il y a au moins trois problèmes que soulève le mode de fonctionnement bureaucratique, un fonctionnement amoral — où la question éthique est absente — plus qu'immoral. D'abord, on le sait depuis longtemps, les bureaucraties et les règles bureaucratiques sont incapables de s'adapter à des situations imprévues. Or, dans un monde qui change sans cesse, on est constamment en présence de situations devant lesquelles la règle est muette. D'où une sorte de paralysie, plus fréquente qu'on ne le croit, des organisations face aux situations que ni la loi ni les règlements n'ont prévues.

Deuxième cas où les règles remplacent difficilement le jugement éthique, celui où elles sont en pratique inapplicables. C'est ce que les sociologues appellent les effets pervers. Vous concevez une règle inspirée par les meilleures intentions et inscrite dans une structure parfaitement rationnelle. Or, voilà que ce système parfait donne au bout du compte des résultats complètement aberrants. Que faire?

Respecter stupidement la règle où s'y soustraire et se comporter en délinquant? Les fonctionnaires de première ligne sont constamment aux prises avec ce dilemme: est-ce que je serai intelligent, ou est-ce que je serai respectueux des règles?

On peut illustrer cette alternative par une comparaison entre la culture administrative française et la culture administrative américaine, qui sont fondamentalement différentes sur cette question du respect des règles. Si vous arrivez à convaincre un fonctionnaire français de première ligne que la règle s'appliquant à votre cas aurait des effets aberrants et que vous lui expliquez gentiment, poliment, qu'il serait absurde de vouloir quand même la respecter, il répondra — les études convergent sur ce point — qu'il ne devrait pas, mais qu'il va vous arranger ça. La bureaucratie américaine et canadienne est différente. On a beau faire valoir au fonctionnaire nord-américain que, dans tel cas précis, la règle donne des résultats désastreux, celui à qui vous expliquez votre cas vous répondra très gentiment (beaucoup plus gentiment qu'en France d'ailleurs): «Vous avez parfaitement raison, c'est totalement aberrant, mais la règle est faite comme ça, je n'y peux rien.»

Nous sommes ainsi constamment confrontés, dans nos organisations, à l'incapacité de la règle à traduire avec justice, avec équité, ce que l'on voudrait faire.

Troisième problème que soulève le fonctionnement bureaucratique, les règles se contredisent. Plus le monde se complexifie, plus on ajoute des règles et plus on en arrive à des situations où on peut toujours trouver des règles qui se contredisent.

Revenons maintenant à la crise. Ce qui caractérise une crise, c'est précisément la rupture avec cette logique bureaucratique. La crise du verglas, par exemple, a été l'occasion, pour les administrations de première ligne, de mettre en avant le principe selon lequel les résultats sont plus importants que les moyens. Le mot d'ordre était alors: on ne «taponne» pas!

On s'est d'ailleurs aperçu que les fonctionnaires qui devaient être si attachés à la règle ne l'étaient pas et qu'ils appréciaient de pouvoir exercer un jugement critique, intelligent, sur leurs actions. Bien sûr, certains ont fait n'importe quoi, ont utilisé bêtement la liberté de décider qu'on leur laissait. Mais cela n'a été le fait que d'une minorité. Dans la plupart des organisations, la consigne était: «Faites pour le mieux, utilisez votre jugement, soyez intelligents!» Les ressources n'étaient pas illimitées, mais, oh merveille, cela a marché. On a mis l'accent sur le bon sens, sur les principes éthiques plutôt que sur le respect des règles, et Dieu sait si on en a transgressé des règles dans cette grande crise!

Certes, quand on exerce son jugement, on se trompe de temps en temps. Et il s'en est commis des erreurs! Le *debriefing* de la crise du verglas a montré qu'on a été remarquable collectivement, que nos administrations ont été à la hauteur, mais qu'il y a eu pas mal de ratés. Mais dans l'espèce de bouleversement collectif auquel a donné lieu cette crise, ces ratés ont passé largement inaperçus. Quelques journalistes les ont soulignés, c'est leur métier, mais ils n'ont pas eu beaucoup d'audience. Parce qu'on comprend bien qu'en situation de crise il est normal de se tromper. Il est normal que si vous dites aux gens «exercez votre jugement» certains, dont le jugement est sans doute moins solide, vont déraper.

Si donc la crise a permis de faire ça, et avec succès, pourquoi est-il si difficile d'exercer le même jugement, le même bon sens, tout le temps, partout dans nos organisations? Pourquoi sommes-nous aux prises avec le réflexe normalisateur? Pourquoi préfère-t-on toujours la règle à l'éthique, le catéchisme à la morale?

Il y a au moins deux obstacles à l'exercice du jugement éthique dans la vie administrative ordinaire. Le premier, la crainte de l'arbitraire administratif. Là aussi, l'exemple français est intéressant. Je disais tout à l'heure que l'administration française, une des plus bureaucratisée du monde occidental, est caractérisée par sa très grande souplesse. Mais cela se traduit aussi par un arbitraire considérable. Vous obtiendrez des fonctionnaires de première ligne qu'ils exercent leur jugement en marge de la réglementation, qu'ils vous arrangent les choses si vous arrivez à gagner leur sympathie, si votre tête leur revient, mais il est certain que cette marge de manœuvre ouvre la porte à la discrimination. En effet, il est risqué que le traitement qu'on vous réserve varie selon que vous êtes sympathique ou non, que vous savez vous y prendre ou non, ou pis encore selon votre origine ethnique ou votre statut social.

L'exercice du jugement menace donc une des valeurs fondamentales de nos administrations publiques, le traitement égal des citoyens. C'est dire que l'exercice de ce jugement doit s'accompagner de mécanismes qui éviteront que celui-ci ne se traduise par l'application, dans les cas concrets, de valeurs avec lesquelles notre société est en désaccord.

Exercer son jugement, certes, mais encore faut-il que les gens qui se retrouvent en première ligne et qui ont à rendre des services aient des valeurs personnelles compatibles avec celles que l'administration entend respecter.

Le deuxième obstacle tient pour une large part au fonctionnement même de nos institutions politico-administratives. Dans la mesure où les organisations publiques sont de véritables maisons de verre, où tout ce qui s'y fait est sujet à l'observation et à la critique de l'opposition, des médias et de l'opinion publique, le fonctionnaire qui exerce son jugement en marge des règles s'expose à la critique bien davantage que celui qui s'en tient au simple respect des règles. La règle constitue en quelque sorte un parapluie contre les risques de blâme.

Supposons que, un peu en marge des règles, dans une situation quelconque, vous prenez une décision parfaitement raisonnable et justifiée, mais qui se révèle avoir toutes les apparences de la stupidité ou de l'inéquité. La chose se retrouve dans les médias, ou quelqu'un dépose une plainte. Si vous avez de la chance, le dossier reste chez le sous-ministre, sinon, cela ira plus haut. Et le premier commentaire que vous risquez d'entendre ressemblera à quelque chose comme ceci : «Quel est l'innocent qui a décidé ça?» Qui voudrait être l'innocent en question? Pourtant, il se peut fort bien que la décision, malgré les apparences, était bonne, ou en tout cas constituait la moins mauvaise décision à prendre dans les circonstances.

Or, nous sommes dans un système administratif qui tend à chercher des boucs émissaires chaque fois qu'une erreur, objective ou subjective, est rendue publique. Pour chaque erreur, réelle ou supposée, il faut qu'il y ait un coupable. Dès lors, il est beaucoup plus prudent d'appliquer des règles, et de les appliquer de façon très mécanique, que d'exercer son jugement. Il est très rare que l'on considère comme fautif celui qui s'est contenté d'appliquer les règles. Que voulez-vous, se dit-on alors, c'est la faute au «système»! Si vous pouvez mettre en cause le système vous êtes à l'abri. Cela n'empêche pas d'exercer son jugement, mais comme personne n'est à l'abri de l'erreur, il vaut mieux éviter les risques de la commettre. C'est ce qui explique dans une large mesure le culte de la règle qui s'applique dans nos organisations.

J'ai une petite anecdote à ce sujet. Dans un ministère où les relations avec la clientèle sont très étroitement bureaucratisées, où la réglementation est très serrée, on avait compris que, dans certains cas, l'application stricte de la réglementation pouvait donner naissance à des situations aberrantes. On avait donc donné au ministre la possibilité d'accorder des dérogations à l'application de certaines règles. Voilà une belle preuve de souplesse! Or, au bout d'un certain temps, le ministre a fini par trouver ennuyeux d'avoir à décider de toutes ces dérogations. En effet, comme il n'avait pas l'information de première main sur chacun des cas, il finissait par endosser presque automatiquement la recommandation du gestionnaire de première ligne. Fort intelligemment donc, on en a conclu que ce type de décision devrait être confié aux administrations du terrain. Pourtant, une fois saisies de cette responsabilité d'exercer leur jugement, les administrations du terrain n'ont rien trouvé de mieux que d'établir des règles quant à l'application du tout petit budget qu'on leur avait réservé pour les décisions hors normes. Voilà qui les mettait à l'abri!

Que faut-il conclure de ce tableau un peu caricatural, je l'avoue, et assez impressionniste du rapport des administrations à l'éthique et à la règle? Je dirais, pour être positif, qu'on peut espérer, qu'on doit souhaiter que nos cultures administratives — il y en a plusieurs — évoluent dans le sens d'une place plus considérable accordée au jugement critique, au jugement éthique, en particulier chez les gestionnaires de première ligne, ceux qui sont les plus près du terrain.

Mais il y a à cela un certain nombre de conditions. La première, c'est un certain desserrement des règles. Tant que le réflexe réglementaire constituera le ressort principal de nos organisations, qu'à chaque crise médiatique, à chaque événement imprévisible, on réagira en disant qu'il faut resserrer la règle ou faire de nouvelles règles, on s'éloignera d'une culture organisationnelle fondée sur le jugement éthique, sur le jugement tout court, sur le bon sens.

La deuxième condition concerne la culture administrative. Tant et aussi longtemps que les organisations publiques chercheront des boucs émissaires et que l'on considérera que toute erreur devrait être sanctionnée, on verra assez peu de gens exercer leur jugement. La règle continuera d'être le parapluie parfait contre les sanctions applicables aux erreurs.

La troisième condition met en cause notre culture politique. Je ne parle pas de la culture des politiciens, je parle de la culture sociétale, de la manière dont les citoyens envisagent l'action de l'État. Tant et aussi longtemps qu'on rendra les politiciens responsables de tous les gestes discutables qui sont posés dans l'administration, ils auront tendance, et c'est parfaitement normal, à vouloir que l'administration soit une extension d'eux-mêmes : si c'est eux qui sont exposés aux coups, ils auront tendance à les prévenir le plus possible en déterminant non seulement les orientations, mais la manière dont les choses seront faites. Et la seule façon que l'on connaît dans les grandes organisations de faire en sorte d'avoir un minimum de sécurité quant au comportement des acteurs sur le terrain, c'est d'établir des règles. En général, cela marche, elles sont appliquées. Mais avec quelles conséquences !

Bernard Dagenais

Des crises et des solutions

Une crise éclate, la méfiance s'installe à l'égard de ceux qui y sont mêlés. Comment rétablir la confiance ? Tel est le problème qu'on nous pose régulièrement. Voici un petit exemple. En 1986 et 1987, j'ai eu le plaisir ou la tâche ingrate de travailler sur le sida. Le sida était une crise endémique internationale. On en connaissait toutes sortes d'éléments négatifs. On est venu voir quelques communicateurs et on leur a exposé le problème de la façon suivante : le corps médical ne sait pas trop ce que c'est, le corps politique n'ose pas en parler, le corps religieux refuse de voir. Faites-nous un *spot* de trente secondes pour régler la maladie ! Le communicateur arrive habituellement à la fin, lorsque le mal est fait, et que le désastre s'est produit. On lui demande des solutions miracles pour gérer la crise et surtout redonner la confiance.

Mais d'abord, de quelle crise s'agit-il ? Car il y en a de toutes sortes. La première est celle qui résulte de ce que j'appellerais les égoïsmes individuels. En quoi cela consiste-t-il ? J'ai été maire pendant quinze ans et je devais affronter quotidiennement ce genre de crise. Au cours des mois d'hiver, par exemple, les uns me faisaient une scène parce qu'on mettait du sable dans les rues plutôt que du sel, les autres parce qu'on mettait du sel plutôt que du sable, parfois parce qu'on n'en mettait pas assez, parfois parce qu'on en mettait trop. Il n'y a pas de solution à ce genre de crise parce que les égoïsmes individuels sont trop contradictoires et souvent irrationnels.

Il y a ensuite les crises de valeurs. Pour comprendre de quoi il s'agit, on peut penser à ce texte de Platon où Gorgias demande à Socrate s'il vaut mieux commettre l'injustice ou la subir. Ceux qu'on appelle les communicateurs sont souvent aux prises avec des situations où ils doivent à tour de rôle défendre l'un et l'autre point de vue, comme les sophistes justement. Une fois, ils sont payés par ceux qui commettent l'injustice, une autre fois par ceux qui la subissent. Les uns et les autres leur demandent de rétablir la confiance…

Mais les crises auxquelles je voudrais m'attarder sont celles de nature structurelle, celles qui comportent un problème de conflit d'intérêts structurel, en ce sens qu'on ne peut attribuer la faute à personne : ce sont les circonstances qui ont mené à la situation problématique.

Une crise, on le sait, c'est essentiellement l'explosion de tensions souterraines. Il ne se passe rien puis tout à coup quelque chose éclate au grand jour. Les tensions peuvent être de nature matérielle, sociale, politique… Cela signifie qu'en fait la crise existait avant d'exploser, mais qu'on ne s'en était pas avisé. En éclatant, elle révèle les tensions souterraines, une rupture se produit qui vient finalement surprendre et déranger tout le monde.

Personne n'avait vu la crise du verglas, celle du porc, celle des inondations. Pourtant, quand après coup on jette un regard en arrière, on se rend compte que personne ne les ignorait non plus. De même, on savait depuis longtemps que le sang était contaminé. Que signifie dès lors essayer de rétablir la confiance quand ceux qui étaient chargés de régler ou de prévenir le problème sont ceux-là mêmes qui l'ont créé ? Comment rétablir la confiance en ceux qui justement ne la méritent pas ?

Mais avant de rétablir la confiance, il faut gérer la crise, ce qui signifie la plupart du temps rétablir l'ordre. Comment rétablit-on l'ordre, habituellement ? On met un couvercle sur la marmite. Voilà, c'est réglé ! Non, la crise continue à couver. On sait que le désordre est plus prometteur que l'ordre parce qu'il remet en question les systèmes établis et qu'il permet le changement. C'est à travers les désordres que la société évolue. Dans une situation de crise on essaye pourtant de rétablir l'ordre au lieu de se servir de la crise pour comprendre, pour régler les tensions souterraines, pour éviter la résurgence des crises.

Et, il est vrai, on finit par les régler, les crises. Il n'y a plus de crise du verglas, plus de crise des infirmières, etc. C'est à ce moment-là qu'on fait appel aux communicateurs pour rétablir la confiance. Et c'est alors qu'on se rend compte que c'est là que la vraie crise commence. Quelques exemples.

Les éleveurs de porcs voulaient quarante millions. Pour les obtenir, ils ont bloqué les routes. Geste de provocation, de désobéissance civile. On leur donne ce qu'ils demandent, la crise est terminée, on est content. Eh non! Les infirmières, qui ont compris que la désobéissance civile portait fruit, déclenchent une grève illégale. Le gouvernement fait une loi pour y mettre fin. L'affaire est close, la crise terminée? Non. Les enseignants, qui ont compris que le truc des éleveurs ne marchait plus, choisissent la résistance passive, peut-être que les résultats seront meilleurs?

Le fait est que chaque fois qu'on croit avoir réglé une crise et qu'on essaie de rétablir la confiance, on se rend compte que, non, le problème qui avait provoqué la crise perdure, si bien que tous les efforts qu'on fait pour rétablir la confiance sont annihilés par cette persistance. On se rend compte également qu'une crise, même dans chacun de ces cas-là, n'est jamais réglée. On apprend ainsi que les petits éleveurs de porcs sont très mécontents de la solution, que la crise du porc est mondiale et qu'elle continue. On n'a rien réglé. Quant aux infirmières, je ne pense pas que le système de santé se porte mieux. Les enseignants? Ils entraînent avec eux toutes les activités socioculturelles. Dans tous ces cas, il y a un conflit d'intérêts structurel entre des versions différentes de la société, conflit qu'on essaie de camoufler plutôt que d'y faire face.

Ce qu'il faut bien comprendre c'est qu'on ne peut attribuer la faute à personne. Chaque fois, chacune des parties a, doit-on présumer, agi de bonne foi. Le problème surgit de ce que les intérêts en présence sont par nature contradictoires. Des éleveurs de porcs pratiquent la désobéissance civile. Quelle est la solution? Nous sommes en période électorale et nous sommes devant une grande industrie qui rapporte un milliard. Des gens manifestent dans les rues, créent une perturbation dont on ne veut pas. Qu'est-ce qu'on fait? On trouve l'argent. Voilà un conflit d'intérêts structurel. De même, on dit aux infirmières qu'on ne cédera pas au chantage, auquel on venait de céder, puis qu'on n'a pas d'argent, qu'on venait de donner. Les enseignants ont pour vocation d'aider les enfants, mais ils doivent aussi veiller à leurs propres conditions de travail. La crise du verglas ? Eh bien, pour équilibrer son budget, Hydro-Québec n'a pas fait un bon entretien — ce n'est pas moi qui le dis, c'est la commission Nicolet — et voilà qu'on se retrouve avec un désastre qui coûte cher à la collectivité. La SEPAQ a pour mandat de protéger les espaces verts du Québec, mais elle doit aussi équilibrer son budget. Qu'est-ce qu'elle fait ? Elle cède une partie des espaces verts qu'elle doit protéger pour faire de l'argent. La Société des alcools fait de la publicité pour vendre de l'alcool, mais elle en fait aussi pour dire de ne pas en prendre trop. Le gouvernement du Québec subventionne les producteurs de tabac, puis en même temps fait des campagnes antitabac.

Dans tous ces cas, il faut rétablir la confiance. Comment ? La confiance, rappelons-le, ça ne s'achète pas, ça se mérite. Ce n'est pas une stratégie de communication qui la rétablira, mais des gestes sociopolitiques concrets. Cela dépasse de beaucoup ce que peuvent proposer les directeurs de communication. D'autant plus que l'éthique politique et sociale est, comme le montrent les exemples qu'on vient de donner, plutôt élastique, variable au gré des circonstances. On demande quand même aux professionnels que nous sommes de rétablir la confiance. Et donc il faut bien proposer quelque chose. Les pistes que je peux suggérer à cet égard risquent de paraître abstraites et générales ; elles peuvent néanmoins donner les meilleurs résultats si on les prend au sérieux.

Première solution, l'humilité. Or, avez-vous déjà vu un acteur social admettre qu'il a fait une erreur ? Hydro-Québec a caché ses pylônes pour qu'on ne voit pas qu'ils étaient en mauvais état, et n'a pas reconnu qu'elle avait failli à l'entretien. Le gouvernement n'a pas dit qu'il avait cédé au chantage des éleveurs de porc, et s'il promettait d'être inflexible, il a fini par tout accorder. Dans l'affaire du sang contaminé, personne ne veut admettre qu'il a fait une erreur. Comment voulez-vous rétablir la confiance quand celui qui l'a minée ne veut pas le reconnaître ?

Dans l'entreprise privée, on a des preuves qu'admettre son erreur vaut beaucoup mieux que de se camoufler. Chrysler a volé des centaines d'automobilistes en changeant le compteur, en revendant pour neuves des voitures usagées et accidentées. Vingt-quatre ou quarante-huit heures après avoir été démasquée, elle s'excusait dans tous les quotidiens d'Amérique du Nord. Puis, dans une page publicitaire elle décrivait les mesures adoptées pour corriger les choses. En général, on préfère se battre pendant des années devant les tribunaux pour faire tomber des accusations qu'on sait pourtant fondées.

Deuxièmement, la rigueur dans le règlement des problèmes. Nous connaissons, en communication, le fossé qui sépare ce qu'on nous fait dire en temps de crise et ce que nous aimerions dire. Pourquoi ne sommes-nous pas capables d'avoir une rigueur mathématique et, quand on ne sait comment résoudre un problème, de dire qu'on ne le sait pas plutôt que se cacher? En somme, il doit être possible de gérer une crise non pour sauver les apparences, mais bien pour que les citoyens consommateurs aient confiance dans le système. Actuellement, c'est loin d'être le cas.

Dans le même sens, la transparence. Pourquoi ne pas avouer ses faiblesses, pourquoi ne pas dire, le cas échéant, que ce n'est pas notre faute, mais que c'est structurel, pourquoi ne pas expliquer clairement la situation?

La clairvoyance. Il est rare qu'une crise ne soit pas devancée par des indices, des symptômes, des signes avant-coureurs. Cela est vrai pour les volcans, les inondations du Saguenay-Lac-Saint-Jean, etc. Fait-on pour autant preuve de clairvoyance? Ce ne sont pourtant ni les informations ni les connaissances qui manquent.

Il faut encore de préférence chercher des solutions à long terme plutôt qu'à court terme. La difficulté vient ici de ce que les politiciens restent rarement plus de deux ans au même poste. Les solutions à long terme, ce n'est pas tout à fait ce qu'il leur faut…

Voilà pour ce qu'on pourrait appeler les principes.

De façon un peu plus pratique, quand on fait une communication, la première question qu'on se pose est toujours de savoir quel est le problème. Dans notre cas, c'est la perte de confiance. Rétablir la confiance, c'est donc essayer de voir comment la gestion de la crise s'est passée pour faire perdre la confiance. Qu'est-ce qui arrive quand il y a une situation de crise? Eh bien, il y a de la suspicion, de la déception, de la méfiance, de l'indifférence, du cynisme, de la haine et parfois de la colère. Voilà bien des choses à gérer pour rétablir la confiance.

L'objet que l'on doit gérer est difficile. Comment peut-on palper la confiance? On nous dit: «Faites une campagne de communication pour créer un sentiment d'appartenance», comme si on avait déjà vu un sentiment d'appartenance, ou un sentiment de confiance. Comment traduire la confiance en comportements ou en attitudes palpables et mesurables? Si on le savait, ce serait beaucoup plus facile. Un comportement de confiance, ça se mérite par un certain nombre de gestes et d'approches.

Quand on crée des campagnes de confiance, il faut savoir qui on vise et quel type de confiance on demande. Soit les banques: pour l'actionnaire, elles ont toute sa confiance, pour le consommateur, il y a quelque méfiance, pour l'employé qui se fait mettre à pied, il y a de la déception. On en vient à se demander s'il est nécessaire que dans nos sociétés on écrase les uns pour plaire aux autres. Pourquoi faut-il choisir entre les partisans et les citoyens, les actionnaires et les usagers? Ces questions laissent entendre qu'on aurait tout intérêt à adopter une approche beaucoup plus humaniste que celle que l'on pratique actuellement.

En ce qui concerne les stratégies pour rétablir la confiance, la première est sans doute la rapidité d'intervention. La mise sur pied d'un comité qui se demandera ce qu'il faut dire, ce qu'il faut faire, c'est peut-être une bonne idée. Mais en attendant que sa décision tombe, l'adversaire occupe le terrain. Il y a tout intérêt à disposer d'avance de scénarios de crise.

Il faut donc être sur-le-champ capable de calmer les appréhensions, dissiper les craintes, mettre fin aux rumeurs, puis mobiliser les forces. Aux États-Unis, on a trouvé une seringue dans une canette de Pepsi. Après un certain temps, on en a trouvé vingt-six dans quatorze États. On a montré qu'il était impossible que les seringues soient mises dans les contenants au cours du processus de fabrication. Le premier cas a été inventé, les autres ont été répétés par hystérie. Autre exemple: certains ont vu, dans les boucles des cheveux reproduits sur l'emballage de produits Proctor and Gamble, les trois six qui symbolisent l'Antéchrist. Il a fallu rapidement mettre fin à la rumeur, rassurer les gens, faire preuve de transparence.

Informer la population. Parfois, ce n'est pourtant que des mois plus tard, après des enquêtes, que l'on apprend la vérité, souvent grâce aux journalistes. Le journaliste est un inquisiteur, une commère, un démocrate, un chien de garde. Il faut savoir lequel de ces aspects domine quand on lui parle. Les sondages constituent également un outil de communication, et non pas un outil de connaissances. Il faut faire deux sondages en temps de crise, le premier pour savoir ce que les gens pensent et le second pour leur dire ce que les autres pensent.

Je terminerai en disant que, une crise, ce n'est jamais terminé. Un climat de confiance ne se ramène pas à la sorte d'apaisement qu'on éprouve après une crise, il se construit au jour le jour. Pour rétablir un climat de confiance après la crise, il faut déjà pouvoir compter sur la confiance en temps normal.

Résoudre une crise, c'est aussi accepter le changement. Ce n'est pas refermer la situation comme elle était avant; refermer la situation est un immobilisme, disait Edgar Morin. Il y a à cet égard deux sortes de crises, des crises mobilisatrices et constructives, qui amènent un changement, et les crises immobilistes, qui remettent la gestion du statu quo entre les mains des mêmes gens. Et je dirais que la majorité des crises, ce sont des crises d'éthique structurelles. Je conclus sur une anecdote : qui oserait pratiquer la philosophie de ce chef d'entreprise de Lyon qui, seul propriétaire, seul actionnaire, ne devant rien à personne, se fait élire chaque année au vote secret par ses employés pour connaître le taux de confiance qu'ils ont en lui ? La confiance, ce n'est plus un objectif à atteindre, c'est un résultat qu'on mérite.

Louis Côté

Tout est question de perception

En communication, rien n'est plus difficile à gérer que la rumeur, particulièrement en temps de crise, crise non seulement dans les faits, mais également dans la confiance à l'égard de ceux qui en sont les protagonistes. Quarante-huit heures après la catastrophe récente d'Egyptair, par exemple, les bruits les plus fous ont circulé à travers le monde, sur internet notamment. Internet contribue de plus en plus à la diffusion d'informations qu'on ne vérifie pas, mais qu'on relaie. Même des médias sérieux les reprennent systématiquement et les répercutent dans le public, ce qui donne lieu bien souvent à des légendes urbaines et à toutes sortes de rumeurs qui s'amplifient et, le cas échéant, nourrissent le problème. Et elles le font d'autant mieux que, en face d'elles, ceux qui auraient tout intérêt à les contenir et à y mettre fin ont le réflexe de se retrancher dans le mutisme. Leur silence alimentera à son tour la rumeur. Or, le rétablissement de la confiance, la restauration de la crédibilité passe tout d'abord par la qualité de la communication.

Je dis qualité de la communication et non vérité. L'un n'empêche pas l'autre bien entendu, mais il faut comprendre que ce qui compte dans un premier temps c'est, pour ainsi dire, l'authenticité de l'intention qui est derrière le message plus que le contenu objectif de celui-ci.

En cette matière, tout est en effet question de perception. Il y a d'ailleurs en marketing une loi qu'on appelle ainsi. On conçoit souvent le marketing comme une bataille rangée entre des produits, des images de marque ou des services. À long terme, croit-on, le meilleur gagne. Les responsables marketing mèneraient des études qui visent à recueillir des données dites objectives ; ils analyseraient l'environnement, s'assureraient que les faits ne les contredisent pas, puis entreraient dans l'arène du marché sûrs d'avoir le meilleur produit, persuadés eux aussi que le meilleur finit toujours par triompher. Illusion ! Il n'existe pas de réalité absolue, de données objectives, ni de produits qui seraient objectivement meilleurs que les autres.

Le monde du marketing n'est fait que de perceptions dans l'esprit du consommateur ou du client. Toute vérité est, là, relative. Relative à ce que vous pensez, à ce que pense telle ou telle autre personne. Quand vous dites que vous avez raison et que votre voisin a tort, vous ne faites qu'affirmer la primauté de votre opinion sur la sienne. Chacun de nous est persuadé de voir les choses mieux que tout le monde. Nous croyons nos sens infaillibles. Nos sensations nous paraissent plus fines, plus fiables, plus fidèles. Pour notre esprit, la réalité et la perception que nous en avons ne font qu'une seule et même chose. Chacun de nous voit le monde à travers ses yeux.

Les exemples qui illustrent la prépondérance de la perception sur la réalité ne manquent pas. Prenons les voitures japonaises. Il y a une différence nette entre les ventes aux États-Unis et au Japon des marques Honda, Toyota et Nissan. Pourtant, dans les deux marchés, ce sont les mêmes voitures. Les marques japonaises jouissent en outre en Occident, particulièrement en Amérique, d'un préjugé favorable sur le plan de la qualité. Si on entend parler de problèmes d'une voiture japonaise, on dit « c'est une erreur » ; dans le cas d'une voiture américaine, on dit « c'est normal ». Les marchés suivent. Enfin, notamment aux États-Unis, Honda vend trois fois plus de voitures que Toyota et Nissan et, au Japon, il se vend trois fois plus de Toyota que de Honda — d'abord perçue comme un fabricant de motocyclettes. Encore une fois, ce sont pourtant toujours les mêmes voitures.

Que ce qu'on établit « objectivement » n'est pas forcément ce que finalement on croira est illustré par Coca-Cola. Il y a quelques années, l'entreprise décide de revoir, d'améliorer son produit, et de lancer un nouveau Coke, le New Coke. On investit des sommes colossales pour s'assurer le succès. Les résultats des tests à l'aveugle déclarent le New Coke comme ayant le meilleur goût. Pepsi vient en seconde place, puis, en troisième, le Coke traditionnel. On décide donc de lancer le New Coke. Tollé aux États-Unis! Deux cent mille consommateurs l'avaient pourtant déclaré meilleur. Malgré tout, les ventes stagnent et c'est le Coke classique qui est perçu comme la meilleure boisson gazeuse et non pas celle qu'on avait retenue «objectivement» lors des tests à l'aveugle.

Quels sont ceux qui, le lendemain de la catastrophe, auraient pris un vol sur Egyptair? Question de perception! Personne ne s'est demandé quel était, comme ils disent en latin, le record de performance du transporteur. Est-ce que cette compagnie aérienne avait connu plusieurs accidents auparavant? Qui s'était renseigné? Pourtant, la façon dont on a répercuté la crise portait à croire qu'Egyptair allait de crash en crash ou encore qu'elle embauchait un personnel ayant de graves problèmes psychologiques ou religieux. Question de perception.

Autre cas plus près de nous: le bogue de l'an 2000. Faut-il le craindre ou le tenir pour inoffensif? Selon la rumeur, il ne serait peut-être pas inutile d'acheter, avant la date fatidique, un peu plus d'eau, un petit peu plus de café, un petit peu plus de nourriture, et puis peut-être de retirer deux cents, trois cents dollars additionnels au cas où les guichets automatiques, par exemple, éprouvent quelque problème. À cela, l'association des banques a répondu par une page publicitaire qui disait: «Il y a deux choses de certaines, deux certitudes pour le 31 décembre 1999. Premièrement, nous allons changer de siècle. Deuxièmement, vous n'aurez aucun problème avec l'argent.» Autrement dit, on essaie de créer une confiance auprès du consommateur.

Bien d'autres cas illustrent encore l'importance de la perception. Très souvent, en effet, ce n'est pas ce qu'on dit qui compte, mais la façon dont on le dit. Si j'ai l'air crédible, si j'ai l'air de savoir de quoi je parle, en citant tel ou tel auteur par exemple, vous aurez sans doute tendance à me croire même si vous n'entendez pas et que vous n'écoutez pas ce que je dis. Soit un débat politique à la télé. Eh bien, dans les sondages qu'on fait le lendemain, les premiers commentaires qu'on entend sont qu'Untel semblait plus à l'aise, plus performant. Mais, sur le plan du contenu, qui était plus solide? À part les courriéristes parlementaires, pour qui c'est le pain quotidien, la grande majorité des gens n'en ont aucune espèce d'idée. Ils se fient à ce que les médias en diront le soir même ou le lendemain lorsqu'ils déclareront un gagnant ou un match nul.

Un exemple récent tiré du marché montréalais. Un restaurant chinois a été reconnu coupable d'infraction à la loi sur l'hygiène publique. Et comme les municipalités publient ce genre d'infractions, tout le monde aurait été au courant. Qu'a fait le restaurateur ? Dès le lendemain, il a publié dans les quotidiens montréalais un message clair où il reconnaissait les faits et annonçait des mesures correctives. Il offrait même pendant vingt-quatre heures des repas gratuits dans le but de faire constater la propreté des lieux et la qualité des mets.

Il y a quelques années, Tylenol a soulevé quelques inquiétudes. Qu'a fait Johnson & Johnson ? Elle a agi comme si elle était la source du problème, ce qui aurait pu être catastrophique. Puis, avant même que le consommateur le demande ou que le législateur intervienne, elle a modifié l'emballage du produit et entrepris une offensive marketing. Tylenol, qui était le numéro deux sur le marché, est devenu le numéro un. L'entreprise a commencé par reconnaître ses torts puis elle a apporté des correctifs, est passée à l'action.

Au début de l'été, il y a deux ou trois ans, un vendredi, juste avant une fin de semaine où les ventes estivales de bière sont en général très fortes, on découvre des bouteilles Molson souillées. Que fait Molson ? Dès le lundi matin, elle rappelle pour inspection quatre-vingt millions de bouteilles. Le ministère de la Santé et du Bien-Être n'en demandait pas tant ! L'entreprise a pris les devants. Aujourd'hui, Molson est la seule brasserie à indiquer une date limite de consommation sur le goulot de chaque bouteille.

Il y a un petit peu plus d'un an, on a soupçonné les restaurants Le Commensal d'avoir transmis une bactérie pouvant causer une gastro-entérite. Le cas ne concernait qu'un seul établissement, mais, trois jours après l'alerte, les propriétaires suspendaient les activités de leurs neuf restaurants. Rien, ni les inspections ni les tests médicaux ne prouvaient qu'il y avait effectivement une bactérie ni, à plus forte raison, qu'elle venait de chez eux. Pourtant, ils ont interrompu toutes les opérations, ils ont rencontré les médias, ils ont fait part du problème, ils l'ont résolu et ils ont rouvert leurs portes. Résultat net, gain de confiance.

Ces quelques cas démontrent que les entreprises ou les organisations disposant d'un capital de sympathie réussissent à préserver une crédibilité, voire même à l'augmenter.

De nos jours, il faut tenir compte du profil de consommateur citoyen en émergence, c'est-à-dire un individu mieux informé, plus critique, plus indépendant, plus soucieux de son environnement, de sa santé, de ce qu'on met dans son assiette, de la voiture qu'il conduit etc. Toutes les entreprises ou organisations devraient investir dans ce qu'il y a de plus important selon moi : leur capital de sympathie, car tout est question de perception. Toutes les entreprises aujourd'hui doivent faire montre d'éthique sous peine de boycott.

Pensons au cas de Nike. Il y a quelque temps, on a appris sur internet que cette entreprise faisait travailler de jeunes enfants. Les ventes ont chuté. Ce qui a sauvé Nike, c'est son capital de sympathie existant. Si elle n'en avait pas eu, les conséquences auraient probablement été catastrophiques sur le plan financier. Nike, comme Gap d'ailleurs, a reconnu le problème et elle s'est engagée à mettre fin à ses ententes de fabrication dans certains pays pour ne travailler qu'avec des adultes et, surtout, à des salaires minimums plus décents.

Pour rétablir la confiance, la première condition est de reconnaître le problème. C'est ce que veut dire la transparence : être franc, dire la vérité sans pour autant verser dans la naïveté. Je rappelle toujours à mes clients qui font face à une crise ce vieux proverbe chinois : « On peut mentir à une personne tout le temps, on peut mentir à quelques personnes de temps en temps, mais on ne peut pas mentir à tout le monde tout le temps. » Et quand on cherche à couvrir une erreur, les conséquences sont terribles. Dans le cas du sang contaminé — qui est, sur le plan de l'éthique aussi bien que sur le plan politique, un des plus graves —, par exemple, il a été démontré hors de tout doute que des décideurs politiques, des gestionnaires de santé publique, savaient la vérité et s'étaient tus. Cela a fini par se savoir. Et on a vu le massacre ! Les médias sont tombés à bras raccourcis sur une institution qui n'en méritait peut-être pas tant.

Une fois le problème reconnu, il faut rapidement, une fois qu'on a évalué les enjeux, faire connaître les correctifs.

Puis, il faut démontrer que le plan d'action donne des résultats. Et c'est souvent ce qu'on oublie. Plusieurs pensent en effet que la confiance repose sur quelques bons coups de relations publiques. Ils oublient que les effets positifs sont souvent éphémères et que, à long terme, ils sont même contre-productifs. C'est ce qu'ont compris les papetières qui ont été mises dans l'eau chaude par *L'erreur boréale* de

Richard Desjardins. Depuis, elles travaillent à se refaire une image, à redonner confiance au public. De même, l'an dernier, à la suite des critiques faites sur la place publique notamment par des associations de consommateurs qui dénonçaient les profits jugés trop élevés des banques, l'association des banques a lancé une vaste campagne multi-média à travers le Québec. Est-ce que c'était crédible ou pas? Trente secondes de publicité ne règlent rien, si on ne pose pas de gestes concrets.

Finalement, pour toute organisation quelle qu'elle soit, il faut toujours suivre la règle des trois P: patience, persévérance et persistance. Rétablir un lien de confiance avec ses publics cibles réels ou éventuels exige beaucoup de patience, beaucoup de persévérance puis de la persistance et non pas par quelques coups d'éclat, en commandite par exemple. Il faut aller beaucoup plus loin, surtout que la population est plus exigeante que naguère. Elle le sera de plus en plus. D'ailleurs, dernier point, on oublie souvent qu'il faut évaluer régulièrement les opinions, les attitudes de son public et de ses employés. On évite ainsi d'être dépassé par les événements.

QUATRIÈME PARTIE

Quelques règles et codes d'éthique

Pierre Giroux

De quelques aspects juridiques des conflits d'intérêts

Dans un premier temps, nous tenterons de cerner la notion de conflit d'intérêts. Nous examinerons ensuite certains cas où le législateur a régi, prohibé ou sanctionné les situations de conflit d'intérêts. Enfin, nous ferons état de la règle de l'impartialité comme garantie juridique destinée à protéger les justiciables contre les conséquences de décisions judiciaires qui pourraient être prises par une personne en conflit d'intérêts.

1. La notion de conflit d'intérêts. Plusieurs auteurs ont souligné la difficulté de circonscrire la notion de conflit d'intérêts. Néanmoins, on retrouve l'expression explicitement mentionnée dans certaines dispositions législatives et réglementaires ; dans d'autres cas, sa prohibition sous-tend des règles juridiques voire des garanties constitutionnelles, telle la règle de l'impartialité en matière judiciaire et quasi judiciaire. Il en est ainsi à l'article 7 de la Charte canadienne des droits et libertés (partie 1 de la Loi constitutionnelle de 1982, constituant l'annexe B de la Loi de 1982 sur le Canada (R.-U.), c. 11), et à l'article 23 de la Charte des droits et libertés de la personne (L. R. Q., c. C-12). On peut ajouter que la garantie d'impartialité fait l'objet d'une disposition expresse applicable, notamment, aux membres du tribunal administratif du Québec institué par la Loi sur la justice administrative (L. R. Q., c. J-3.5, art. 9). Il est bien évident que je ne saurais examiner ici toutes les facettes de la notion juridique de conflit d'intérêts.

Certains auteurs ont tenté une classification des conflits d'intérêts auxquels sont confrontés les détenteurs de charges publiques : l'exclusivité d'emploi, le conflit de discrétion professionnelle, le conflit de gratitude personnelle, le conflit du juge et de la partie (la participation à une décision sur une question dans laquelle le titulaire a un intérêt), le conflit du contrat avec soi-même (le fait d'être partie à un contrat avec le gouvernement) (Patrice Garant, « Les conflits d'intérêts dans le droit public québécois », sixième colloque international de droit comparé, Éditions de l'université d'Ottawa, 1969, cité dans Albert Mayrand, *Incompatibilités de fonctions et conflits d'intérêts en droit parlementaire québécois*, Montréal, Thémis, 1997, p. 28-29).

On peut affirmer qu'une personne à qui est imposée par la loi ou par contrat une obligation d'agir dans le meilleur intérêt d'autrui est en conflit d'intérêts si elle se trouve dans une situation de nature à l'inciter à manquer à cette obligation pour agir dans son intérêt personnel (*ibid.*).

Selon la nature de la fonction exercée, les règles de droit régissant les situations de conflit d'intérêts pourront varier. De même, les conséquences résultant du fait qu'une personne se trouve dans une situation de conflit d'intérêts et les sanctions susceptibles d'être appliquées pourront également varier selon la nature de la fonction exercée et l'importance que le législateur accorde aux décisions que cette personne est chargée de prendre.

Ainsi, les prescriptions applicables à un juge en conflit d'intérêts peuvent être différentes de celles applicables au détenteur d'une charge publique élective, qu'il s'agisse d'un député, d'un membre d'un conseil municipal ou d'une commission scolaire. De même, les règles concernant le conflit d'intérêts d'un administrateur d'une personne morale de droit public pourront être différentes de celles applicables à un administrateur d'une personne morale de droit privé. Il existe également des règles particulières en matière de conflit d'intérêts applicables aux professionnels régis par le Code des professions.

Mentionnons que l'examen de certaines dispositions législatives peut laisser croire qu'il existe des différences entre, d'une part, agir avec honnêteté et loyauté dans l'intérêt d'une personne et, d'autre part, le fait de se placer dans une situation de conflit entre son intérêt personnel et ses obligations à l'égard d'une personne. À cet égard, on peut se référer aux dispositions applicables aux administrateurs de personnes morales (art. 322 et 324 C. c. Q.).

Toujours dans le Code civil du Québec, la même distinction est faite pour l'administrateur du bien d'autrui (fiduciaire, administrateur de succession, curateur) qui, en vertu de l'article 1309, doit agir «avec honnêteté et loyauté, dans le meilleur intérêt du bénéficiaire ou de la fin poursuivie». Quant à l'article 1310, il prévoit expressément que l'administrateur ne peut exercer ses pouvoirs dans son propre intérêt ni dans celui d'un tiers; il ne peut non plus se placer dans une situation de conflit entre son intérêt personnel et ses obligations d'administrateur. Il en est de même dans le cas des relations entre mandant et mandataire, ce dernier, en vertu de l'article 2138, devant agir «avec honnêteté et loyauté dans le meilleur intérêt du mandant et éviter de se placer dans une situation de conflit entre son intérêt personnel et celui du mandant».

Il y aurait peut-être lieu de faire une distinction entre le conflit d'intérêts et le conflit de loyautés, ce que je ne saurais entreprendre ici.

Je traiterai plutôt de certaines dispositions législatives et réglementaires prohibant, régissant et sanctionnant les conflits d'intérêts.

2. Illustration de cas où le législateur a régi, prohibé ou sanctionné les situations de conflit d'intérêts. Il est extrêmement difficile pour ne pas dire impossible de faire une courte synthèse des dispositions régissant, prohibant ou sanctionnant les situations de conflit d'intérêts. Nous traiterons d'abord des règles autres que celles comportant des sanctions, puis nous aborderons ces dernières.

Quelles sont les règles qui s'appliquent aux situations de conflit d'intérêts? Selon les dispositions législatives et réglementaires applicables, la personne se trouvant en situation de conflit d'intérêts pourra devoir agir ou adopter une attitude particulière. C'est dire qu'il n'y a pas de réponse unique d'application universelle à la question de savoir comment doit réagir celui qui se trouve en situation de conflit d'intérêts. Voyons quelques exemples.

L'administrateur d'une personne morale de droit public pourra devoir: dénoncer son intérêt auprès des autres administrateurs; s'abstenir non seulement de voter, mais également d'assister aux discussions concernant l'affaire ou le contrat à être adjugé; se départir de son intérêt personnel qui est en conflit avec l'intérêt de la personne morale.

Le détenteur d'une fonction judiciaire ou quasi judiciaire devra: se récuser de son propre chef; s'il ne se rend pas compte de la situation de conflit d'intérêts et que les parties impliquées dans le litige qu'il est chargé de trancher le lui font valoir, il pourra lui-même entendre et décider la question ou devra demander qu'un autre décideur tranche la question de la récusation, selon les dispositions législatives et réglementaires applicables.

Enfin, un professionnel assujetti au Code des professions devra: informer les personnes concernées; refuser d'agir ou refuser le mandat qu'on désire lui confier.

Quelles sont maintenant les sanctions applicables aux situations de conflit d'intérêts? Elles peuvent être de nature pénale, civile ou disciplinaire.

En ce qui concerne les premières, on peut se référer ici aux infractions criminelles d'abus de confiance et de corruption de fonctionnaires prévues aux articles 119 et 120 du Code criminel.

L'article 119 vise le détenteur d'une charge judiciaire, le membre du parlement ou le membre d'une législature provinciale qui, par corruption, accepte ou obtient de l'argent, une contrepartie valable, une charge, une place ou un emploi pour lui-même ou pour une autre personne à l'égard d'une chose qu'il a faite ou omise ou qu'il doit faire ou omettre en sa qualité officielle; la personne reconnue coupable de cet acte criminel est passible d'un emprisonnement maximal de quatorze ans. En corollaire, la personne qui donne ou offre de l'argent à l'une de ces personnes visées à l'article 119 est coupable de la même infraction et passible de la même peine.

L'article 120 du Code criminel prévoit la même sanction dans le cas où un juge de paix, un commissaire de police, agent de la paix, fonctionnaire public ou fonctionnaire d'un tribunal pour enfant, ou un employé à l'administration du droit criminel accepte ou obtient, pour lui-même ou pour une autre personne, de l'argent, une contrepartie valable, une charge, une place ou un emploi, avec l'intention soit d'entraver l'administration de la justice, soit de provoquer ou de faciliter la perpétration d'une infraction, soit encore d'empêcher la découverte ou le châtiment d'une personne qui a commis ou se propose de commettre une infraction. En corollaire, la personne qui donne ou offre de donner de l'argent à l'une des personnes visées à l'article 120 est coupable de la même infraction et passible de la même sanction (emprisonnement maximal de quatorze ans).

Soit dit en passant, il n'y a pas que les fonctionnaires et employés des gouvernements dont la conduite est susceptible d'être sanctionnée par le Code criminel au cas de conflit d'intérêts dans un contexte de corruption. Il en est de même en effet d'une personne qui donne ou offre ou convient de donner ou d'offrir à un agent (par exemple, un employé), ou encore une personne qui est un agent et qui exige ou accepte ou offre ou convient d'accepter de qui que ce soit une récompense, un avantage ou un bénéfice de quelque sorte à titre de contrepartie pour faire ou s'abstenir de faire, pour avoir fait ou s'être abstenu de faire, un acte relatif aux affaires ou à l'entreprise de son commettant (employeur) ou pour témoigner ou s'abstenir de témoigner de la faveur ou de la défaveur à une personne quant aux affaires ou à l'entreprise de son commettant (employeur). Il s'agit de l'infraction que l'on appelle communément versement ou acceptation — selon l'angle sous lequel on envisage la situation — d'une commission secrète (art. 426 C. cr.). Une personne déclarée coupable de cet acte criminel est passible de cinq ans d'emprisonnement. Prenons l'exemple d'un directeur de banque à qui un avantage personnel est offert pour qu'il maintienne ou augmente la marge de crédit d'une entreprise en difficulté financière, allant ainsi à l'encontre, notamment, d'une politique de la banque en pareil cas. La personne qui offrirait un avantage et celle qui l'accepterait, dans de telles circonstances, pourraient être reconnues coupables de l'acte criminel.

Il importe toutefois de mentionner que les tribunaux ont reconnu que les dispositions du Code criminel n'empêchent pas les civilités coutumières (invitation à prendre un repas, etc.). À cet égard, il n'est pas sans intérêt de mentionner que, dans le Règlement sur l'éthique et la déontologie des administrateurs publics (Décret 824-98, G. O. Q. II, 30 juin 1998, p. 3474), il est expressément prévu que l'administrateur public ne peut accepter aucun cadeau, marque d'hospitalité ou autres avantages que ceux d'usage ou d'une valeur modeste, tout autre cadeau, marque d'hospitalité ou avantages reçus devant être remis au donateur ou à l'État (art. 14).

En ce qui concerne les sanctions de nature civile, elles peuvent d'abord consister en *dommages-intérêts*. C'est ainsi, par exemple, que l'article 1457 du Code civil du Québec prévoit, notamment, que toute personne a le devoir de respecter les règles de conduite qui, suivant les circonstances, les usages ou la loi, s'imposent à elle, de manière à ne pas causer de préjudice à autrui. Quant à la responsabilité contractuelle, l'article 1458 prévoit que toute personne a le devoir d'honorer les engagements qu'elle a contractés et que, lorsqu'elle manque à ce devoir, elle est responsable du préjudice corporel, moral ou matériel qu'elle cause à son cocontractant et tenue de réparer ce préjudice. Le recours en dommages-intérêts serait ouvert par exemple pour le mandant à l'égard de son mandataire qui se placerait en situation de conflit d'intérêts puisque le Code civil du Québec, à l'article 2138, impose au mandataire d'agir avec honnêteté et loyauté dans le meilleur intérêt du mandant et d'éviter de se placer dans une situation de conflit entre son intérêt personnel et celui de son mandant.

En certains cas, un tribunal pourrait ordonner la *nullité de l'acte* posé. Ainsi, l'administrateur d'une personne morale a l'obligation, en vertu de l'article 324 du Code civil du Québec, d'éviter de se placer dans une situation de conflit entre son intérêt personnel et ses obligations d'administrateur. Le même article exige qu'il dénonce à la personne morale tout intérêt qu'il a dans une entreprise ou une association susceptible de le placer en situation de conflit d'intérêts, ainsi que les droits qu'il peut faire valoir contre elle, en indiquant, le cas échéant, leur nature et leur valeur. À défaut par l'administrateur de faire une telle dénonciation, un tribunal pourra, à la demande de la personne morale ou d'un membre de la corporation, entre autres, annuler l'acte ou ordonner à l'administrateur de rendre compte et de remettre à la personne morale le profit réalisé ou l'avantage reçu (art. 326 C. c. Q.). La nullité est aussi une sanction applicable dans le cas où le détenteur d'une fonction quasi judiciaire prend une décision alors qu'il se trouve dans une situation de conflit d'intérêts. En effet, dans un tel cas, l'impartialité du détenteur de la fonction quasi judiciaire est affectée, ce qui entraîne un excès de juridiction pour lequel la cour supérieure pourra intervenir en prononçant la nullité de la décision.

Toujours au chapitre des sanctions civiles, le législateur prévoit parfois qu'une personne ne peut se trouver en situation de conflit d'intérêts sous peine de *déchéance de sa charge*, qu'il s'agisse d'un administrateur, d'un officier ou d'un employé, dans le cas, par exemple, de certaines sociétés d'État (art. 16.1 de la Loi sur la Société québécoise d'initiative pétrolière, L. R. Q., c. S-22).

Enfin, le Code civil du Québec prévoit que l'administrateur d'une personne morale qui se place dans une situation de conflit d'intérêts et néglige de la dénoncer agit ainsi à l'encontre des dispositions législatives et contrevient à ses obligations d'administrateur de telle sorte qu'il peut se voir *interdire l'exercice de la fonction* d'administrateur d'une personne morale pour une durée pouvant aller jusqu'à cinq ans (art. 329 et 330 C. c. Q.). Dans le même sens, selon le récent Règlement sur l'éthique et la déontologie des administrateurs publics, les membres du conseil d'administration et les membres de certains organismes et entreprises du gouvernement ne peuvent se placer dans une situation de conflit entre leur intérêt personnel et les obligations de leurs fonctions (art. 9), sous peine de révocation (art. 10).

Ceux qui se placent dans une situation de conflit d'intérêts s'exposent finalement à des sanctions disciplinaires. On peut mentionner les fonctionnaires assujettis à la Loi sur la fonction publique (L. R. Q., c. F-3.1.1), qui prévoit, à l'article 7, que le fonctionnaire ne peut avoir un intérêt direct ou indirect dans une entreprise qui met en conflit son intérêt personnel et les devoirs de ses fonctions.

Le Règlement sur les normes d'éthique, de discipline et le relevé provisoire des fonctions dans la fonction publique (R. R. Q., c. F-3.1.1, r. 1), adopté en vertu de la Loi sur la fonction publique, exige du fonctionnaire qui croit avoir un intérêt direct ou indirect dans une entreprise susceptible de mettre en conflit son intérêt personnel et les devoirs de ses fonctions qu'il en informe le sous-ministre de son ministère ou le dirigeant de l'organisme dont il relève, lequel peut requérir l'avis du ministre de la Justice et doit informer le fonctionnaire de l'attitude à prendre. Lorsqu'il s'agit d'un sous-ministre, la divulgation doit être faite au secrétaire général du Conseil exécutif qui peut requérir l'avis du ministre de la Justice et doit informer le sous-ministre de l'attitude à prendre.

En vertu de l'article 16 de la Loi sur la fonction publique, le fonctionnaire qui contrevient aux normes d'éthique et de discipline est passible d'une mesure disciplinaire pouvant aller jusqu'au congédiement, selon la nature et la gravité de la faute.

Enfin, le législateur a imposé aux corporations professionnelles assujetties au Code des professions (L. R. Q., c. C-26) l'obligation d'adopter un code de déontologie (art. 87) qui doit être soumis à l'approbation du gouvernement (art. 95). Dans le cas des avocats, le Code de déontologie (R. R. Q., c. B-1, r. 1) prévoit, à l'article 3.06.06, que l'avocat doit éviter toute situation où il serait en conflit d'intérêts. L'article 3.06.07 précise que l'avocat est en conflit d'intérêts lorsque, notamment : « 1. Il représente des intérêts opposés ; 2. il représente des intérêts de nature telle qu'il peut être porté à préférer certains d'entre eux ou que son jugement et sa loyauté peuvent en être défavorablement affectés ; 3. il agit à titre d'avocat d'un syndic ou d'un liquidateur sauf à titre d'avocat du liquidateur nommé en vertu de la Loi sur la liquidation des compagnies (L.R.Q., c. L-4), et représente le débiteur, la compagnie ou la société en liquidation, un créancier garanti ou un créancier dont la réclamation est contestée ou a représenté une de ces personnes dans les deux années précédentes, à moins qu'il ne dénonce par écrit aux créanciers ou aux inspecteurs tout mandat antérieur reçu du débiteur, de la compagnie ou de la société ou de leurs créanciers pendant cette période. »

L'article 3.06.08 prévoit que « pour décider de toute question relative à un conflit d'intérêts, il faut considérer l'intérêt supérieur de la justice, le consentement exprès ou implicite des parties, l'étendue du préjudice pour chacune des parties, le laps de temps écoulé depuis la naissance de la situation pouvant constituer un conflit, ainsi que la bonne foi des parties ».

Mentionnons, enfin, que les tribunaux ont reconnu la possibilité pour une partie de présenter une requête à un tribunal pour empêcher un avocat qui se trouve dans une situation de conflit d'intérêts de continuer de représenter son client devant le tribunal (*Succession MacDonald* c. *Martin*, [1990] 3 R. C. S. 1235).

3. La règle de l'impartialité comme garantie juridique. La jurisprudence des pays de tradition juridique britannique a établi depuis longtemps la règle de justice naturelle selon laquelle on ne peut être à la fois juge et partie : « Nemo judex in sua causa. »

Cette règle d'impartialité implique, notamment, que le décideur ou le juge ne soit pas en situation de conflit d'intérêts. Il importe de mentionner que l'apparence de conflit d'intérêts sera le critère à considérer pour déterminer, par exemple, si un décideur doit se récuser. Il ne sera pas nécessaire d'établir que, dans les faits, le décideur a déjà profité ou profite de sa fonction pour faire primer son intérêt personnel.

La règle de justice naturelle établie par les tribunaux a fait l'objet d'une codification dans des textes constitutionnels et quasi constitutionnels ainsi que dans des lois sectorielles.

D'abord, la Charte canadienne des droits et libertés prévoit, à l'article 7, que chacun a droit à la vie, à la liberté et à la sécurité de sa personne ; il ne peut être porté atteinte à ce droit qu'en conformité avec les principes de la justice fondamentale. Les principes de la justice fondamentale comprennent, notamment, le droit d'être jugé par une personne impartiale.

De même, la Charte des droits et libertés de la personne du Québec prévoit, à l'article 23, que toute personne a droit, en pleine égalité, à une audition publique et impartiale de sa cause par un tribunal indépendant et qui ne soit pas préjugé, qu'il s'agisse de la détermination de ses droits et obligations ou du bien-fondé de toute accusation portée contre elle.

Mentionnons que la Loi sur la justice administrative entrée en vigueur en avril 1998 distingue la fonction administrative et la fonction juridictionnelle. Toutefois, dans les deux cas, les décisions doivent être prises par une personne qui n'est pas en conflit d'intérêts. En effet, les décisions administratives, en vertu de l'article 2, doivent être prises dans le respect du devoir d'agir équitablement. De plus, l'administration gouvernementale doit prendre les mesures appropriées pour s'assurer que les procédures sont conduites dans le respect des normes législatives et administratives ainsi que des autres règles de droit applicables, suivant des règles simples, souples et sans formalisme avec respect, prudence et célérité, *conformément aux normes d'éthique et de discipline qui régissent ses agents et selon les exigences de la bonne foi* (art. 4).

Dans le cas de l'exercice d'une fonction juridictionnelle, les procédures menant à une décision sont conduites «de manière à permettre un débat loyal, *dans le respect du devoir d'agir de façon impartiale*» (art. 9).

En ce qui concerne les tribunaux judiciaires, le Code de procédure civile prévoit une procédure de récusation (art. 234 et suiv.). Le juge qui connaît une cause valable de récusation (par exemple, une situation de conflit d'intérêts) est tenu, sans attendre qu'elle soit proposée, de la déclarer par écrit versé au dossier (art. 236). La partie qui sait cause de récusation contre le juge doit faire de même sans délai.

La Loi sur la justice administrative prévoit l'obligation pour un membre du tribunal administratif qui connaît une cause valable de récusation de la déclarer dans un écrit versé au dossier et d'en aviser les parties. Il est à signaler que le Conseil de la justice administrative établi par la Loi sur la justice administrative (art. 165) a pour fonction, notamment, d'édicter un code de déontologie applicable aux membres du tribunal administratif (art. 177, par. 2). À l'heure actuelle, il semble qu'un projet de code de déontologie applicable aux membres du tribunal administratif soit en préparation.

Les dispositions législatives et réglementaires régissant, prohibant ou sanctionnant la situation de conflit d'intérêts sont, comme on le voit, fort nombreuses et variées. Il est donc important de vérifier chaque fois les règles établies par la loi pour déterminer les droits et obligations des personnes concernées.

Il y aurait peut-être lieu de faire un effort de synthèse et de réflexion pour tenter de trouver une sorte de dénominateur commun applicable sinon à toutes les situations de conflit d'intérêts, à tout le moins à certains cas ou catégories de conflit d'intérêts, selon la nature de la fonction exercée par le décideur. Ces quelques réflexions sont loin d'épuiser le sujet.

Bernard Tremblay

Conflits d'intérêts et codes d'éthique dans les commissions scolaires

La gestion des commissions scolaires, comme celle de tout autre organisme public, implique l'établissement et le maintien d'un lien de confiance avec la population. Or, l'école d'aujourd'hui évolue dans un environnement complexe — diversité ethnique et religieuse, conflit entre droits individuels et droits collectifs, ressources limitées, transformation des structures et du rôle de l'école, décentralisation, etc. — qui rend cette tâche d'autant plus difficile.

Au même moment, les faits et gestes des gestionnaires et des élus sont scrutés à la loupe par les médias, les groupes d'intérêts et les citoyens. Dans ce contexte, le législateur a cru bon d'exiger des commissions scolaires qu'elles se dotent d'un code d'éthique afin de favoriser la transparence de leur gestion et d'éviter des situations embarrassantes.

C'est ainsi qu'en décembre 1995 l'ex-premier ministre Jacques Parizeau déposait un projet de loi sur l'éthique et la déontologie. Un des objectifs en était de clarifier les règles en la matière en ce qui a trait aux employés de l'État. Bien que ce projet soit mort au feuilleton, il fut repris par le ministre de la Justice Paul Bégin et adopté au printemps 1997. Cette loi s'applique maintenant aux conseils de commissaires, qui doivent se doter d'un code d'éthique et de déontologie. C'est à partir de l'adoption de cette loi que s'est développé l'intérêt que l'on constate actuellement pour le sujet dans le réseau scolaire et qui nous amène à traiter de la question des codes d'éthique et des problèmes de conflit d'intérêts. Cette brève étude, nous la ferons en scrutant les obligations qui encadrent tant le palier politique que le palier administratif de la commission scolaire.

Toutefois, avant d'entamer notre analyse de la question, il faut souligner que le texte qui suit se concentre principalement sur les aspects juridiques des problèmes éthiques avec lesquels sont aux prises les commissions scolaires. Bien qu'une réflexion sur l'éthique puisse et même doive englober des considérations beaucoup plus larges que la simple notion de conflit d'intérêts, cette question demeure au cœur des préoccupations du législateur et des citoyens et sera donc omniprésente dans ce texte.

De par leur rôle, les commissaires et les gestionnaires des commissions scolaires sont responsables d'un ensemble de décisions déterminantes pour la qualité des services offerts à la population en matière d'éducation. Ce rôle important, ils l'exécutent en faisant quotidiennement des choix sur une multitude de sujets. Or, de ce fait, ils doivent porter des jugements qui laissent transparaître inévitablement leurs valeurs. Les citoyens s'attendent toutefois au respect par les divers décideurs publics de certaines valeurs communes à la société québécoise. Quelles sont ces valeurs?

Certaines viennent à l'esprit naturellement. Pensons simplement au principe d'égalité entre hommes et femmes qui est devenu au Québec une valeur reconnue, enchâssée dans la Charte des droits et libertés de la personne, et qui ne saurait être transgressé, en particulier dans le secteur public. En insistant sur l'adoption de codes d'éthique dans le secteur public, le législateur souhaite justement que soient respectées ces valeurs communes et qu'un engagement officiel en ce sens soit pris afin que la population garde sa confiance dans les institutions publiques.

Cependant, les codes d'éthique visent nécessairement à intégrer une réalité plus large que celle des valeurs reconnues déjà cristallisées dans la loi. Une partie de ces valeurs communes à notre société ne sont pas récupérées par le domaine juridique et n'ont donc pas reçu cette reconnaissance et ce degré de précision caractéristiques des lois et règlements. Il ne faut toutefois pas sous-estimer leur importance. Il suffit de se rappeler le tollé causé il y a quelques années par les profits réalisés par un représentant gouvernemental qui agissait au sein d'un conseil d'administration d'une filiale d'Hydro-Québec. Bien que l'on dût conclure à l'absence d'illégalité dans les gestes de cet employé du gouvernement, tous admettent qu'il ne s'agissait pas d'un comportement très éthique.

Cette situation explique donc une part de la difficulté associée à la rédaction d'un code d'éthique dont le défi réside dans l'établissement de règles de conduite intégrant les valeurs de la communauté et permettant aux acteurs politiques et aux personnels visés d'adopter un comportement respectueux des attentes de la population. Il convient sans doute à cet égard de souligner qu'un code d'éthique doit être adapté aux préoccupations de chaque milieu. Ainsi, il nous semble normal que la définition des attentes puisse varier d'une commission scolaire à l'autre en fonction des réalités de chaque région.

Dans cette recherche d'une règle de conduite correspondant aux valeurs de leurs concitoyens, les commissaires se heurtent à des notions telles que morale, éthique, déontologie. Souvent utilisées comme des synonymes, celles-ci sont passées dans le langage courant sans qu'on en saisisse vraiment le sens exact. Il s'agit de termes sur lesquels il est difficile de faire consensus. C'est pourquoi nous préférons laisser cette tâche aux éthiciens. Dans le cadre d'un premier effort de réflexion sur les codes d'éthique et de déontologie, nous prendrons exemple sur le législateur qui, dans sa nouvelle législation, n'a pas cru bon faire de nuance et a marié les termes éthique et déontologie.

Voyons d'abord les dispositions portant sur les codes d'éthique et de déontologie prévues par la Loi sur l'instruction publique. C'est le 20 mars 1997 qu'était sanctionnée la Loi modifiant la Loi sur le ministère du Conseil exécutif et d'autres dispositions législatives concernant l'éthique et la déontologie. Cette loi crée, entre autres, l'obligation pour divers organismes des secteurs de l'éducation, de la santé et des services sociaux de se doter de normes d'éthique et de déontologie applicables à leurs administrateurs. Elle vise également les administrateurs publics et les conseils d'administration des organismes et entreprises du gouvernement.

Dans le secteur scolaire, cette loi prévoit trois nouveaux articles à la Loi sur l'instruction publique qui ont pour effet d'obliger les conseils des commissaires d'adopter par règlement un code d'éthique et de déontologie qui s'applique aux commissaires. Cette obligation entrait en vigueur le 1er janvier 1998.

Quant au contenu du code d'éthique, il doit : porter sur les devoirs et obligations des commissaires et peut prévoir des normes adaptées aux différentes catégories de commissaires ou qui ne peuvent s'appliquer qu'à certaines catégories d'entre eux ; traiter des mesures de prévention, notamment des règles relatives à la déclaration des intérêts détenus par les commissaires ; traiter de l'identification de situations de conflit d'intérêts ; régir ou interdire des pratiques liées à la rémunération des commissaires ; traiter des devoirs et obligations des commissaires même après qu'ils ont cessé d'exercer leurs fonctions ; prévoir des mécanismes d'application dont la désignation des personnes chargées de l'application du code et les éventuelles sanctions.

D'autres conditions sont également prévues par la loi : la commission scolaire devra rendre le code accessible au public et le publier dans son rapport annuel ; le rapport annuel devra faire état du nombre de cas traités, de leur suivi, des manquements constatés au cours de l'année, de la décision des instances disciplinaires, des sanctions imposées et du nom des commissaires révoqués ou suspendus ; la personne qui aura reçu un avantage en contravention d'une norme d'éthique en sera redevable envers l'État.

Comme on peut le constater, la loi offre un encadrement précis qui pose peu de problèmes d'interprétation. Cependant, certaines remarques s'imposent. Nous reviendrons plus loin sur la notion de conflit d'intérêts qui est bien évidemment au cœur de cette intervention législative, mais l'exercice des derniers mois, qui a conduit à l'adoption de codes d'éthique dans les commissions scolaires, nous enseigne que les principaux problèmes rencontrés portent sur le mécanisme d'application et les sanctions que le code doit prévoir.

Une des raisons à l'origine de l'ajout des dispositions portant sur l'éthique dans la Loi sur l'instruction publique est de permettre l'imposition de sanctions en cas de non-respect d'une règle d'éthique. En effet, en l'absence de telles dispositions, il était impossible d'imposer une sanction directe à un commissaire élu démocratiquement et détenteur d'une charge publique. Cette autorisation législative comporte toutefois des limites en raison justement de la nature même de la charge de commissaire.

Quelle est l'étendue des sanctions possibles face à une contravention au code ? Cette question demeure difficile à trancher. Ainsi, toute sanction qui porterait atteinte à son statut d'élu et l'empêcherait d'exercer sa fonction nous semble outrepasser le souhait du législateur. En effet, il serait contraire aux principes de droit public d'interdire, à un commissaire élu conformément à la Loi sur les élections scolaires, de continuer à siéger au conseil des commissaires ou d'imposer toute sanction qui aurait cet effet à moins que cette sanction résulte d'une autorisation législative expresse.

Bien sûr, ce commentaire peut surprendre dès lors qu'on se rappelle que l'article 175.1 prévoit justement que le rapport annuel de la commission scolaire doit faire état « du nom des commissaires révoqués ou suspendus ». Nous sommes d'avis qu'il ne s'agit pas là d'une autorisation législative, mais bien d'une erreur de rédaction qui n'a pas été retirée de la version finale du projet de loi. En effet, l'article 175.1 n'accorde pas un pouvoir exprès de suspension ou de révocation. Il ne mentionne que l'obligation d'informer la population lorsqu'un tel cas survient. Or, il suffit de se souvenir de quelle façon cet article a été introduit dans la Loi sur l'instruction publique pour comprendre quelle est la source de cette erreur.

Comme nous le mentionnions précédemment, l'introduction des dispositions portant sur les codes d'éthique s'est faite par l'adoption du projet de loi 131, qui visait en premier lieu les employés de l'État et les membres de conseils d'administration d'organismes publics. Le modèle établi par le législateur, quant aux éléments que devaient comporter les codes d'éthique, fut donc pensé en fonction de ce groupe puis exporté vers le monde de l'éducation. Quelques adaptations furent bien sûr apportées, mais il nous faut bien constater que cette opération aurait mérité un peu plus d'attention.

Quant à la question de savoir quelle forme doit prendre le mécanisme dont dépend l'application du code, l'absence d'indication dans la loi confirme la discrétion laissée au conseil des commissaires à ce sujet. Une ou plusieurs personnes doivent être désignées afin d'assurer une surveillance, de répondre aux plaintes et de garantir que le code ne sera pas lettre morte, mais leur désignation et leur mode de fonctionnement sont laissés à l'appréciation du conseil des commissaires.

Avant de conclure ce commentaire sur les codes d'éthique, il faut souligner que les éléments indiqués ci-dessus constituent le cadre minimal fixé par la loi. Mais puisque celle-ci prévoit l'adoption du code sous forme de règlement qui constitue l'expression la plus formelle pour une commission scolaire, nous sommes d'avis qu'il est préférable de se limiter au strict respect des dispositions législatives. Une commission scolaire qui souhaiterait expliquer sa démarche de façon plus élaborée, qui aimerait exposer des engagements moraux plus vastes que ceux demandés par la loi ou qui voudrait imposer des normes d'éthique à ses employés devrait, à notre avis, adopter, parallèlement à son règlement sur le code d'éthique, une politique sur le même sujet ou un document d'orientation afin d'éviter d'alourdir le texte du règlement et de se conformer à la loi.

Ayant abordé les dispositions portant sur les codes d'éthique enchâssées dans la Loi sur l'instruction publique, on constate que la loi s'intéresse particulièrement à la question des conflits d'intérêts. Bien sûr, les codes d'éthique peuvent traiter d'autres questions éthiques, mais ils doivent nécessairement porter une attention spéciale à cette préoc-cupation particulière du législateur. C'est pourquoi nous aborderons maintenant les règles prévues par la Loi sur l'instruction publique quant aux conflits d'intérêts qui revêtiront une grande importance au moment de se pencher sur l'élaboration d'un code d'éthique.

En premier lieu, penchons-nous sur une épineuse question : qu'est-ce qu'un conflit d'intérêts ? Cette expression, souvent utilisée sans que l'on cherche à en établir avec précision le sens, n'est pas toujours appropriée. À ce sujet, il faut comprendre le souhait du légis-lateur pour pouvoir saisir ce qui constitue un tel conflit. Dans un commentaire à propos de l'administration municipale qui peut être transposé en l'espèce, A. Tremblay et R. Savoie affirmaient que «le législateur ne veut pas d'administrateurs municipaux qui soient en position de conflit d'intérêts, c'est-à-dire qui puissent poursuivre des intérêts divergents ou contradictoires : l'intérêt public auquel peut se juxtaposer un intérêt privé susceptible de déterminer ou à tout le moins d'influencer une décision administrative» (*Précis de droit municipal*, Montréal, Wilson et Lafleur, 1973, p. 82).

On cherche donc par cette règle à empêcher un membre d'un conseil des commissaires de tirer un avantage personnel de son poste, en ayant un intérêt dans une entreprise au détriment d'un tiers qui, lui, ne jouit pas de toutes les informations détenues, en raison de son poste, par le membre du conseil. En quelques mots, voici comment la cour d'appel résume cette intention du législateur: «Ce que la loi défend [c'est] que la conscience de cet échevin soit, à un moment donné, forcée d'opter entre cet intérêt particulier et l'intérêt général de la communauté» (*Mailhot* c. *Beaudouin*, (1935) 58 B.R. 419, 428).

À la lumière de ces commentaires, on parlera donc de conflit d'intérêts lorsqu'une situation se présentera où la personne qui participe à la prise d'une décision risque d'avoir à choisir entre son intérêt personnel et celui de l'organisme pour lequel elle agit. On peut également s'inspirer de la définition suivante: «D'une manière générale, on peut définir le conflit d'intérêts comme une situation dans laquelle un employé du secteur public a un intérêt privé ou personnel suffisant pour influencer ou sembler influencer l'exercice de ses fonctions officielles» (Dussault et Borgeat, *Traité de droit administratif*, 2ᵉ éd., tome II, Sainte-Foy, Presses de l'université Laval, 1986, p. 376).

Cela étant dit, dans quelle mesure la loi interdit-elle les conflits d'intérêts des commissaires? Deux lois sont à considérer. Tout d'abord, la Loi sur les élections scolaires prévoit, à l'article 21, des situations qui rendent inéligibles à la fonction de commissaire, le législateur ayant jugé qu'une personne placée dans une de ces situations serait confrontée à des dilemmes éthiques peu propices à un exercice impartial de sa fonction de commissaire. Ainsi, on ne peut être à la fois commissaire élu et membre de l'Assemblée nationale, membre du parlement du Canada (Chambre des communes ou Sénat) ou employé de la commission scolaire. Un employé du Conseil scolaire de l'île de Montréal est inéligible à la fonction de commissaire de toutes commissions scolaires de l'île de Montréal. Deux autres situations sont également interdites par l'article 21: le cumul de la fonction de commissaire et celle de juge d'un tribunal judiciaire, et l'imposition d'une peine d'emprisonnement.

La Loi sur l'instruction publique, quant à elle, établit la principale règle applicable dans le domaine scolaire à l'article 175.4: «Tout membre du conseil des commissaires qui a un intérêt direct ou indirect dans une entreprise qui met en conflit son intérêt personnel et celui de la commission scolaire doit, sous peine de déchéance de sa charge, le dénoncer par écrit au directeur général de la commission scolaire, s'abstenir de voter sur toute question concernant cette entreprise et éviter d'influencer la décision s'y rapportant. Il doit en outre se retirer de la séance pour la durée des délibérations et du vote relatifs à cette question. La dénonciation requise au premier alinéa se fait lors de la première séance du conseil: 1. suivant le moment où toute personne ayant un tel intérêt devient membre du conseil; 2. suivant le moment où le membre du conseil acquiert un tel intérêt; 3. au cours de laquelle la question est traitée. La déchéance subsiste pendant cinq ans après le jour où le jugement qui la déclare est passé en force de chose jugée.»

On retient de cette disposition que trois conditions sont nécessaires pour qu'on puisse parler de conflit d'intérêts: un intérêt direct ou indirect pendant la durée de son mandat; dans une entreprise; qui met en conflit son intérêt personnel et celui de la commission scolaire.

Il faut souligner que l'article 176 de la loi qui, avant d'être modifié en 1997, établissait la règle à respecter en matière de conflit d'intérêts, s'est vu amputé, à cette occasion, de son second alinéa. De plus, la référence aux articles de la Loi sur les élections et les référendums dans les municipalités qu'on y trouvait a aussi été modifiée. Le nouvel article 175.4 reprend l'idée contenue dans ce second alinéa mais dans une forme différente. Ainsi, auparavant, la règle que devait respecter un commissaire afin d'éviter de se placer dans une situation pouvant entraîner son inhabilité se lisait ainsi: «Article 176: Les articles 304 à 312 de la Loi sur les élections et les référendums dans les municipalités (L.R.Q., chapitre E-2.2) s'appliquent aux membres du conseil des commissaires de la même manière qu'aux membres du conseil d'une municipalité. Aux fins de ces articles, un conseil des commissaires est censé être un conseil d'une municipalité et une commission scolaire est censée être une municipalité. Cependant l'article 304 de cette loi ne s'applique pas à un membre d'un conseil des commissaires qui a un intérêt direct ou indirect dans une entreprise ou un contrat mettant en conflit son intérêt personnel et celui de la commission scolaire s'il dénonce par écrit son intérêt, y compris ce qui est visé à l'article 305 de cette loi, au conseil dont il fait partie et s'il s'abstient de participer au débat et à toute décision sur le sujet dans lequel il a un intérêt.»

En vertu de cette disposition, trois conditions étaient nécessaires pour qu'on puisse parler de conflit d'intérêts. On devait établir que le commissaire avait un intérêt direct ou indirect dans un contrat conclu avec la commission scolaire et que cet intérêt devait être conscient («sciemment»). Cependant, diverses exceptions existaient à cette règle générale. Ainsi, le commissaire était réputé ne pas être en conflit d'intérêts lorsque ce conflit résultait d'une des situations prévues à l'article

305 de la Loi sur les élections et les référendums dans les municipalités. De plus, le commissaire pouvait éviter l'inhabilité lorsque, en situation de conflit d'intérêts, il dénonçait celui-ci et s'abstenait de participer aux débats et au vote sur cette question. Cette transposition en droit scolaire d'une règle initialement conçue pour le domaine municipal n'était pas des plus harmonieuses. La modification législative apportée à l'article 176, entrée en vigueur le 1er juillet 1998, rend donc l'interprétation des règles entourant le conflit d'intérêts en droit scolaire plus simple et plus cohérente.

Penchons-nous maintenant sur ce nouvel article 175.4 et sur la notion de conflit d'intérêts qu'on y retrouve. Tout d'abord, il est question d'intérêt. Mais de quel intérêt s'agit-il? Bien que l'on puisse penser aux notions connexes d'avantages, de bénéfices ou de traitements et que ces mots nous ramènent à ce que l'on peut appeler «la recherche de son intérêt personnel», il nous faut nous en remettre à la jurisprudence pour en saisir précisément le sens.

Pour préciser la notion d'intérêt, reportons-nous tout d'abord à l'arrêt *Larrivée* c. *Guay*, dans lequel la cour d'appel devait se prononcer sur le cas du maire d'une municipalité qui était également le directeur de la caisse populaire de l'endroit. On invoquait son inhabilité au motif que la caisse entretenait des relations avec la municipalité en cause. La cour ne retint pas cet argument en raison du fait que les relations entre les deux organismes existaient depuis quarante ans, même si des prêts avaient été renouvelés depuis l'entrée en fonction du maire. La cour s'appuya sur le fait que le maire était payé à salaire, qu'il ne recevait aucune commission ni avantage à la suite du renouvellement de prêts, que les prêts étaient approuvés par la commission des crédits où le maire ne siégeait qu'à titre de secrétaire adjoint et que finalement les taux d'intérêts étaient fixés par la fédération.

Cependant, au sujet de cette décision, il est intéressant de noter la réserve suivante qu'émettait le professeur L'Heureux: «Même si la cause de ce maire était sympathique, cet arrêt ne nous paraît pas entièrement convaincant. On peut se demander, en effet, si le maire n'avait pas un véritable intérêt, en tant que gérant, à ce que sa Caisse fonctionne bien, à ce qu'elle fasse de bonnes affaires avec des clients comme la municipalité. Il ne faut pas oublier que [...] l'article 304 n'exige pas un intérêt de nature pécuniaire» («Les conflits d'intérêts chez les commissaires d'écoles et chez le personnel cadre: développements jurisprudentiels dans la dernière décennie », dans *Développements récents en droit scolaire*, Cowansville, Yvon Blais, 1995, p. 204).

Un autre exemple d'intérêt indirect peut consister en l'octroi de contrat à un parent du commissaire. La jurisprudence n'en fait pas toujours un cas de conflit d'intérêts et semble même très ambivalente à ce propos. Depuis l'entrée en vigueur des dispositions du Code civil sur le patrimoine familial (articles 414 à 426 C.c.Q.), des décisions contradictoires ont été rendues sur la question des contrats confiés au conjoint d'élus municipaux; décisions applicables, à notre avis, au réseau scolaire.

Dans *Laberge* c. *Vézina*, la cour supérieure a jugé que les époux n'ont pas d'intérêt pécuniaire dans les immeubles détenus par l'autre conjoint puisque le droit de celui-ci n'est qu'une créance potentielle qui ne naîtra que d'une action en divorce, en séparation de corps ou du décès. En l'espèce, le mari qui avait vendu l'immeuble en cause à sa femme s'était aussi réservé un droit de préférence qui obligeait son épouse à l'informer de toute offre obtenue et lui permettait d'acquérir l'immeuble pour le même prix. Malgré tout, cette clause du contrat ne fut pas jugée problématique puisqu'il s'agissait, selon la cour, non pas d'un avantage, mais plutôt d'une restriction à la vente de l'immeuble. Dans le même sens, on peut lire la décision *Poirier* c. *Charpentier* dans laquelle on reprochait à la défenderesse, maire de sa municipalité, d'avoir participé à la décision ayant conduit à l'embauche de son mari. Le juge Frappier se basant sur le principe voulant que les époux peuvent disposer librement de leurs biens sans autorisation ni participation du conjoint ne reconnut pas à la défenderesse un intérêt direct ou indirect dans cette question. Dans un autre cas soumis à la cour supérieure, il était question d'une conseillère municipale à qui l'on reprochait d'avoir participé au vote portant sur le salaire de son mari, directeur du service d'incendie de la municipalité en cause. À nouveau, le juge fut d'avis que la conseillère n'avait pas d'intérêt dans la détermination du salaire de son conjoint en raison de l'indépendance conférée par notre droit civil aux conjoints durant le mariage dans l'administration de leur patrimoine respectif.

Dans *Heffernan* c. *Rozon*, toutefois, la cour supérieure en arriva à une autre conclusion. En se basant sur le fait que les conjoints partagent normalement ce qu'ils ont, le juge conclut à un intérêt pécuniaire du conjoint, conseiller municipal, dans le contrat obtenu par l'autre auprès de la municipalité visée.

Dans l'arrêt *Fortin* c. *Gadoury*, la cour d'appel devait, cette fois-ci, se prononcer sur une action en déclaration d'inhabilité intentée à l'encontre d'une conseillère municipale à qui l'on reprochait divers gestes. Le premier fait concernait sa participation aux démarches entreprises par la municipalité à la suite d'une poursuite en dommages-intérêts adressée à celle-ci par le mari de la conseillère. Le second reproche qui était formulé à son égard concernait une demande de modification du règlement de zonage qui profitait aux membres de sa famille. Finalement, l'action se basait aussi sur une autre demande de modification au zonage formulée à la municipalité et qui profitait, cette fois, à sa fille.

À propos du premier reproche, le juge Brisson souligna que les démarches entreprises par la municipalité avaient simplement consisté à transmettre la mise en demeure du mari de la défenderesse à l'avocat de la municipalité et aux assureurs de cette dernière et qu'un tel geste de routine ne pouvait se qualifier de « prise en considération » au sens de la loi. Le conseil municipal n'ayant pas étudié les suites à donner à cette mise en demeure, il n'y avait donc pas eu prise de décision sur cette question ; il s'agissait d'un simple geste administratif.

Quant aux demandes de modification du règlement de zonage, le juge fut d'avis que la première d'entre elles qui devait, aux dires du demandeur, profiter à la belle-famille de la fille de la conseillère ne constituait pas un intérêt direct ou indirect. Toutefois, le juge fut plus sévère à l'égard du troisième reproche qui consistait en une demande de modification au zonage ayant pour effet d'avantager la fille de la conseillère. À ce sujet, le juge rappela que la conseillère connaissait la situation de sa fille et l'impact qu'une telle demande aurait sur le commerce de celle-ci. Bien que cette démarche se soit soldée par un échec, le juge n'en retint pas moins le caractère inapproprié des gestes posés par la conseillère.

Un autre exemple d'intérêt indirect nous est fourni par la décision *Bourdon* c. *St-Jacques*. La cour supérieure devait se prononcer sur l'existence d'un intérêt pécuniaire dans le cas d'un conseiller municipal n'ayant pas dénoncé le fait qu'il détenait une participation dans une entreprise de transporteurs-camionneurs. Le conseil municipal s'était penché sur le tarif à payer pour le transport d'abrasifs effectué pour la municipalité, décision qui ne pouvait que profiter à l'entreprise du conseiller. Le juge ne retint pas l'argument du conseiller selon lequel son entreprise avait été traitée comme tous les autres transporteurs. Même le fait qu'il s'agisse de services à exécution instantanée, découlant d'une politique générale du conseil municipal à l'effet de répartir les services dont elle avait besoin entre les transporteurs locaux par rotation, n'a pu empêcher le juge de conclure qu'il s'agissait d'une situation de conflit.

Dans l'affaire *Caissy* c. *Québec (P. G.)*, la cour d'appel se penchait sur l'existence d'un conflit d'intérêts présumé du maire au motif qu'il avait participé au vote demandant le transfert d'un point de service du CLSC sur le territoire de la municipalité. Or, il fut établi que le maire savait qu'il était question de construire le point de service sur un terrain détenu par une entreprise à laquelle il était associé. Le juge Fish, qui signe l'opinion majoritaire, reconnaît le manquement du maire en cause et souligne qu'il n'est pas nécessaire de prouver l'incompatibilité entre l'intérêt des citoyens de la municipalité et celui du maire, ni même de prouver la mauvaise foi pour être en contravention de l'article 303 de la Loi sur les élections et les référendums dans les municipalités. Il faut toutefois souligner la dissidence du juge Beauregard qui souligne qu'en l'espèce la décision de la municipalité quant à l'établissement du CLSC relevait du vœu pieux puisque dans les faits c'est une autre autorité qui avait le pouvoir de déterminer le lieu où serait implanté le point de service en question.

Finalement, dans une autre affaire (*Brosseau* c. *Bélanger*), la cour d'appel a eu l'occasion à nouveau de préciser sa pensée quant à la notion d'intérêt. Il s'agissait en l'espèce d'un conseiller municipal à qui on reprochait de ne pas avoir dénoncé le fait qu'il était le sous-traitant d'un entrepreneur à qui la municipalité avait octroyé un contrat de construction. Le juge Vallerand fut d'avis qu'il s'agissait d'un intérêt indirect dans l'affaire et que le défendeur se devait de dénoncer son intérêt.

La loi ne prévoyant pas de définition au mot «intérêt», on retient donc que la jurisprudence lui reconnaît un sens large. Ainsi, il peut être direct ou indirect et n'a pas à être de nature pécuniaire. On reconnaîtra, par exemple, un intérêt psychologique ou de quelque nature que ce soit dans la mesure où la personne puisse y trouver un avantage potentiel directement ou par personne interposée. Toutefois, cette règle comporte des limites puisque l'intérêt se doit d'être appréciable et réel.

Deuxième condition pour qu'on puisse parler de conflit d'intérêts: que ce conflit soit en lien avec une entreprise. La loi prévoit depuis le

1er juillet 1998 que le conflit d'intérêts d'un commissaire doit résulter de sa participation à une entreprise. L'usage du mot entreprise, afin de circonscrire les situations interdites, semble indiquer le souhait du législateur de donner un sens plus étendu à la notion de conflit d'intérêts. En effet, les caractéristiques du contrat reconnues par notre droit civil sont très précises. Or, des situations délicates pouvaient jusqu'à maintenant ne pas être couvertes par la règle antérieure qui se limitait à interdire la conclusion de contrat avec la commission scolaire.

Il faut toutefois admettre qu'il devient plus difficile de définir avec précision cette nouvelle règle quant aux conflits qui sont interdits puisque le terme entreprise n'est ni défini par la Loi sur l'instruction publique ni par le Code civil et que sa définition courante couvre diverses réalités.

Ainsi, on note que le Petit Robert donne du mot entreprise la définition suivante : « 1. Ce qu'on se propose d'entreprendre ; mise à exécution d'un dessein ; 2. le fait pour un entrepreneur de s'engager à fournir son travail et parfois la matière pour un ouvrage donné dans des conditions données ; 3. organisation de production de biens ou de services à caractère commercial […]. »

À notre avis, le législateur en remplaçant le terme « contrat » par le mot « entreprise » souhaitait élargir la notion de conflit d'intérêts déjà prévue à la Loi sur l'instruction publique. Par conséquent nous croyons qu'il faut interpréter cette notion d'entreprise dans son sens large.

Finalement, l'article 175.4 prévoit que, pour qu'il s'agisse d'un cas de conflit d'intérêts, l'entreprise du commissaire doit être susceptible de mettre en conflit le commissaire, c'est-à-dire qu'il doit y avoir un risque que celui-ci doive choisir entre son intérêt personnel et celui de la commission scolaire. Notons ici qu'il ne s'agit pas de déterminer si le commissaire partage le même intérêt que la collectivité pour laquelle il agit, mais bien de savoir si, lorsqu'il devra prendre une décision, il sera placé dans une position qui l'amènera à considérer aussi son intérêt personnel. Autrement dit, il s'agit de savoir si le commissaire est placé dans une situation qui lui permettra de se concentrer entièrement sur l'intérêt de la population, et ce, sans qu'il y ait risque d'interférence. Rappelons-nous, à ce propos, la décision de la cour d'appel dans *Caissy* c. *Québec (P. G.)*. Le juge Fish soulignait, dans cette décision, l'inutilité de prouver que l'intérêt du maire était incompatible avec celui des autres citoyens de sa municipalité. L'existence d'un intérêt personnel dans la question traitée était suffisante pour placer le maire dans une situation de conflit d'intérêts.

Une fois ces trois conditions réunies (un intérêt, dans une entreprise, entraînant un conflit), le commissaire peut éviter la déchéance s'il dénonce son intérêt, s'abstient de voter et de participer aux délibérations du conseil en se retirant de la séance au cours de laquelle la question est débattue. Soulignons que la dénonciation devant être faite par le commissaire en début de mandat doit être mise à jour conformément à ce que prévoit l'article 175.4.

Avant de traiter de la question des conflits d'intérêts chez le personnel des commissions scolaires, nous voulons souligner l'existence d'une seconde règle d'éthique établie par la loi à l'intention des commissaires. En effet, le législateur, à l'article 176 de la Loi sur l'instruction publique, renvoie à l'article 306 de la Loi sur les élections et les référendums dans les municipalités qui porte sur l'inhabilité résultant de malversations, d'abus de confiance et d'autres inconduites de même nature que pourrait commettre un commissaire. Il ne s'agit pas à proprement parler d'une règle portant sur les conflits d'intérêts mais cet article est sans aucun doute en lien avec notre propos concernant l'éthique.

On retient de l'encadrement établi par la Loi sur l'instruction publique que le commissaire qui se trouve en situation de conflit d'intérêts mais qui dénonce celui-ci par écrit et s'abstient de participer au débat sur le sujet ne devient pas inhabile du fait de ce conflit. Dans un tel cas, il n'y a donc pas de problème. Toutefois, qu'advient-il du commissaire qui ne respecte pas cette règle?

Une fois établie l'existence d'un conflit d'intérêts non déclaré, les articles 308 à 312 de la Loi sur les élections et référendums dans les municipalités s'appliquent. En vertu de ces dispositions, une personne inhabile peut être poursuivie par action en déclaration d'inhabilité. Le but de cette procédure est d'empêcher le commissaire de siéger à ce titre pendant un certain nombre d'années, en l'occurrence cinq ans en vertu de l'article 175.4. En vertu des articles 838 à 843 du Code de procédure civile, le recours en *quo warranto* pourrait aussi être utilisé afin de demander la destitution du commissaire, déclaré inhabile, de sa fonction.

Il est bon en terminant sur les obligations éthiques des commissaires de rappeler les articles 324 et 325 du Code civil du Québec. Bien qu'une loi particulière, ici la Loi sur l'instruction publique, établisse des règles à ce sujet, les dispositions générales du Code civil portant sur les obligations des administrateurs s'appliquent également aux commissions scolaires et complètent en l'occurrence les règles vues précédemment. «Article 324. L'administrateur doit éviter de se placer dans une situation de conflit entre son intérêt personnel et ses obligations d'administrateur. Il doit dénoncer à la personne morale tout intérêt qu'il a dans une entreprise ou une association susceptible de le placer en situation de conflit d'intérêts, ainsi que le droit qu'il peut faire valoir contre elle, en indiquant, le cas échéant, leur nature et leur valeur. Cette dénonciation d'intérêt est consignée au procès-verbal des délibérations du conseil d'administration ou à ce qui en tient lieu.» «Article 325. Tout administrateur peut, même dans l'exercice de ses fonctions, acquérir, directement ou indirectement, des droits dans les biens qu'il administre ou contracter avec la personne morale. Il doit signaler aussitôt le fait à la personne morale, en indiquant la nature et la valeur des droits qu'il acquiert, et demander que le fait soit consigné au procès-verbal des délibérations du conseil d'administration ou à ce qui en tient lieu. Il doit, sauf nécessité, s'abstenir de délibérer et de voter sur la question. La présente règle ne s'applique pas, toutefois, aux questions qui concernent la rémunération de l'administrateur ou ses conditions de travail.»

On constate à la lecture de ces articles qu'ils s'harmonisent aux règles que nous avons énoncées jusqu'ici.

Par ailleurs, dans le cadre de la réforme de l'éducation entreprise par le gouvernement au cours des derniers mois, une nouvelle instance est apparue au sein des commissions scolaires. Le conseil d'établissement, rappelons-le, est composé entre autres de parents, d'employés et de représentants de la communauté. Le législateur a également cru bon d'encadrer cette instance par des règles à l'égard des conflits d'intérêts de même nature que celles imposées aux membres du conseil des commissaires.

Ainsi, l'article 70 peut-il se lire: «Tout membre du conseil d'établissement qui a un intérêt direct ou indirect dans une entreprise qui met en conflit son intérêt personnel et celui de l'école doit, sous peine de déchéance de sa charge, le dénoncer par écrit au directeur de l'école, s'abstenir de voter sur toute question concernant cette entreprise et éviter d'influencer la décision s'y rapportant. Il doit en outre se retirer de la séance pour la durée des délibérations et du vote relatifs à cette question. La dénonciation requise au premier alinéa se fait lors de la première séance du conseil: 1. suivant le moment où toute personne ayant un tel intérêt devient membre du conseil; 2. suivant le moment où le membre du conseil acquiert un intérêt; 3. au cours de laquelle la question est traitée.»

Cependant, il existe une différence importante entre cette disposition et le libellé de l'article 175.4. Bien que l'on y parle de déchéance, on constate que la durée de celle-ci n'est pas prévue.

Après cette présentation des dispositions régissant les instances décisionnelles de la commission scolaire, examinons maintenant l'encadrement juridique applicable au personnel. Un passage tiré d'une décision rendue par la cour fédérale rend bien l'idée qui sous-tend l'interdiction de conflit d'intérêts chez les administrateurs publics: «Manifestement, la fonction publique ne sera pas considérée comme impartiale et efficace dans l'exécution de ses fonctions si l'on tolère l'existence de conflit apparent entre l'intérêt personnel des fonctionnaires et leurs obligations à l'endroit du public» (*Jack G. Threader* c. *R.*, [1987] 1 C.F. 41, 54). Contrairement aux commissaires, les cadres du réseau scolaire ne sont pas visés par les articles 175.1 et suivants. Le législateur a toutefois cru bon prévoir des règles spécifiques visant les directeurs d'école, les directeurs de centre et le directeur général de la commission scolaire. Ces dispositions, libellées de façon similaire, se lisent ainsi: «Le directeur [...] ne peut, sous peine de déchéance de sa charge, avoir un intérêt direct ou indirect dans une entreprise mettant en conflit son intérêt personnel et celui de l'école. Toutefois, cette déchéance n'a pas lieu si un tel intérêt lui échoit par succession ou par donation, pourvu qu'il y renonce ou en dispose avec diligence.»

On retient donc que, contrairement aux commissaires, les cadres visés par cette règle doivent se départir de l'intérêt qui est à la source du conflit, une simple dénonciation de celui-ci étant insuffisante.

Cette règle prévue par la loi pourra toutefois être complétée par un encadrement établi par la commission scolaire et s'appliquer à d'autres membres du personnel de la commission scolaire. Mais, mises à part les règles spécifiques que pourra prévoir la commission dans un code d'éthique applicable à son personnel, il faut souligner que le personnel est tenu, de toute façon, à un devoir de loyauté à l'endroit de son employeur, devoir qui comprend l'obligation de ne pas se placer en situation de conflit d'intérêts.

L'article 2088 du Code civil énonce ainsi cette obligation : « Le salarié, outre qu'il est tenu d'exécuter son travail avec prudence et diligence, doit agir avec loyauté et ne pas faire usage de l'information à caractère confidentiel qu'il obtient dans l'exécution ou à l'occasion de son travail. Ces obligations survivent pendant un délai raisonnable après cessation du contrat, et survivent en tout temps lorsque l'information réfère à la réputation et à la vie privée d'autrui. »

Dans *Le droit du travail* (2e éd., Sainte-Foy, Presses de l'université Laval, 1991, p. 161), Gagnon, Lebel et Verge s'expriment ainsi quant à la portée de cette règle : « De façon générale, l'employé doit vouer le meilleur de ses efforts à son emploi, compte tenu évidemment de la nature et de l'importance de ce dernier. Il lui faut en particulier éviter les situations qui le placeraient naturellement en conflit d'intérêts [...]. » Et dans *Le congédiement en droit québécois* (3e éd., Cowansville, Yvon Blais, 1991, p. 4-13 et 4-15), Audet, Bonhomme et Gascon écrivent : « L'employé a le devoir de toujours agir de bonne foi et avec fidélité, étant donné son obligation de loyauté envers ses supérieurs et l'entreprise qui l'emploie. [...] Ainsi, la simple possibilité d'un conflit d'intérêts peut justifier le congédiement. »

Quant à la nature des situations entraînant des conflits d'intérêts chez le personnel, il est difficile de bien cerner cette question. Elle variera bien sûr en fonction de l'emploi exercé et des responsabilités assumées par l'individu. Ainsi, lorsqu'il est question du personnel d'encadrement, on envisagera la question principalement sous l'angle du conflit d'intérêts puisque celui-ci a, de par ses fonctions, la possibilité de prendre des décisions où le risque de conflit entre son intérêt personnel et celui de la commission peut être en cause. On pourra, à cet égard, se référer aux éléments discutés précédemment à propos des commissaires.

Dans un article portant sur l'éducation et l'éthique, Me Bourgeois rappelait d'ailleurs le bien-fondé des attentes de l'employeur face à son personnel : « Cette absence de règles codifiées n'infère toutefois pas l'absence de comportements attendus généralement tacitement et largement reconnus de la part des diverses personnes appelées à intervenir dans le monde scolaire. [...] Ces attentes peuvent être de plusieurs ordres et peuvent varier en importance selon le niveau d'implication et de responsabilité de la personne visée. Ces attentes doivent, dans certains cas particuliers, être signifiées de façon claire et sans équivoque.

Cependant, dans la très large majorité des cas, elles s'imposent d'elles-mêmes étant alors implicitement admises par tous et rattachées, en ce sens, à l'obligation principale comprise au contrat de travail, à savoir : accomplir le travail justifiant le contrat selon les "règles de l'art".»

Évidemment, comme le souligne cet auteur, il peut être utile pour l'employeur de signifier ses attentes à l'égard du personnel. La commission scolaire peut donc compléter dans un code d'éthique les quelques règles prévues à la loi et les attentes implicites qualifiées de «règles de l'art». D'ailleurs, considérant l'importance d'établir le plus clairement possible les règles que devront respecter les employés de la commission, l'élaboration d'un code d'éthique à l'intention du personnel nous semble un outil à ne pas négliger. L'absence de règles, dans la Loi sur l'instruction publique, sur les codes d'éthique s'adressant au personnel n'est pas un obstacle car, rappelons-le, l'imposition de règles de conduite relève du droit de gérance de l'employeur.

Quant à la règle applicable au personnel en matière de conflit d'intérêts, le test suivant, élaboré par la cour fédérale dans la décision citée précédemment (*Jack G. Threader* c. *R.*) peut certainement servir de guide. «Est-ce qu'une personne bien renseignée qui étudierait la question en profondeur, de façon réaliste et pratique, croirait que, selon toute vraisemblance, le fonctionnaire, consciemment ou non, sera influencé par des considérations d'intérêt personnel dans l'exercice de ses fonctions officielles?»

Ainsi, Me Mercille dans une étude portant sur cette question écrivait : «L'obligation de loyauté fait donc partie prenante du contrat d'emploi de tout cadre du secteur de l'éducation. Cette obligation de loyauté s'oppose à tous les actes ou situations de conflits d'intérêts des membres de la direction des établissements et elle comporte un devoir de divulgation auprès de l'employeur, de toute information relative à un conflit d'intérêts. L'obligation de loyauté se rattache d'une façon générale aux notions d'exécution consciencieuse des tâches, de fidélité, de dévouement et d'honnêteté» («Conflits d'intérêts et moralité administrative : l'évolution des normes applicables aux cadres des divers ordres d'enseignement», dans *Développements récents en droit de l'éducation*, Cowansville, Yvon Blais, 1996, p. 1-24).

À la lumière de ce dernier commentaire, il faut retenir qu'il revient à la commission scolaire, en tant qu'employeur, de fixer ses règles de conduite dans les limites du raisonnable, du non-discriminatoire et du non-abusif bien sûr. Elle devra alors s'assurer de bien signifier ses attentes pour que son personnel soit à même de distinguer ce qui est admis de ce qui ne l'est pas. À cette obligation de loyauté s'ajoute aussi une obligation de discrétion qui découle de la première. Toujours selon l'article 2088 C.c.Q., l'obligation de discrétion vise à empêcher une personne de faire usage de l'information à caractère confidentiel qu'elle obtient dans l'exécution ou à l'occasion de son travail. Cette obligation peut survivre à la fin du contrat de travail.

En terminant, soulignons simplement que l'intention manifestée par le législateur dans la Loi sur l'instruction publique de contrer les conflits d'intérêts par l'établissement de règles à l'égard de certains cadres et des commissaires ainsi que par l'adoption obligatoire d'un code d'éthique sont maintenant des plus évidentes. Lors de l'élaboration d'un tel code, il faut se pencher sur la notion de conflit d'intérêts qui, bien que faisant partie du langage courant, est par son contenu toujours difficile à cerner avec précision. À l'aide de la jurisprudence rendue dans le domaine municipal nous avons tenté de tracer un portrait des situations potentielles de conflit d'intérêts, et ce, dans un premier temps, à l'égard des commissaires pour ensuite se pencher sur la situation du personnel du réseau scolaire. Il a également été question des conseils d'établissement mais il faut avouer que la création toute récente de cette instance ne nous permet pas d'évaluer adéquatement la nature des problèmes d'éthique qui pourront survenir et qui nécessiteront peut-être une démarche particulière.

Il nous semble enfin important de soulever le fait que, au-delà des dispositions portant sur les conflits d'intérêts prévues par la Loi sur l'instruction publique, une réflexion plus large doit être menée afin de répondre adéquatement à l'ensemble des problèmes éthiques qui se présentent en milieu scolaire. Comme nous le mentionnions précédemment, l'objectif n'est pas de punir des individus ayant mal agi, mais bien plutôt d'assurer une transparence dans la gestion des affaires de la commission scolaire et de maintenir la confiance du public. Tout comme il est de coutume d'affirmer qu'il ne suffit pas que justice soit rendue mais qu'il faut également que règne l'apparence de justice, il ne suffit pas seulement d'éviter les conflits d'intérêts mais il faut aussi éviter l'apparence de tels conflits. Il en va de la confiance des Québécois dans leur système d'éducation.

Marie-José Nadeau

La prévention des conflits d'intérêts à Hydro-Québec

En matière d'éthique, les codes de conduite, les règles, ne suffisent certes pas. Il faut pouvoir compter sur les valeurs morales elles-mêmes, et c'est cela qui nous fait dire que la confiance ne s'impose pas, elle se mérite. Il reste pourtant qu'il est important d'avoir un code et des règles et de les appliquer avec rigueur. Si ces aspects pratiques peuvent sembler secondaires du point de vue philosophique, du point de vue juridique et administratif ce sont eux qui permettent de départager ce qui est licite de ce qui ne l'est pas. C'est donc sur les codes d'éthique entendus dans le sens de leur fonctionnement réel que je voudrais insister en prenant le cas de la société d'État que je représente ici, Hydro-Québec. Hydro-Québec, je le rappelle rapidement pour mémoire, c'est 55 milliards d'actifs, 8 milliards de chiffre d'affaires, 3,3 millions de clients au Québec et à peu près 20 000 employés.

Même si les valeurs qui régissent une société d'État sont les mêmes pour toute l'entreprise, les règles d'éthique et leur application varient selon qu'on considère l'administration ou les employés. Je m'en tiendrai essentiellement à celles qui concernent les dirigeants. Les administrateurs d'Hydro-Québec proviennent du milieu des affaires ou de la finance, certains du monde de l'éducation ; ils sont issus de milieux socioculturels différents et habitent diverses régions de la province; ils sont tous clients d'Hydro-Québec. Les règles d'éthique qu'ils doivent respecter sont les règles classiques de transparence, d'intégrité, de loyauté, etc. Mais comment cela se passe-t-il concrètement?

Le cadre juridique qui nous régit est d'abord défini dans la Loi sur Hydro-Québec adoptée à la fin des années soixante-dix. Il y est notamment interdit à un membre exerçant une fonction à plein temps dans la Société de détenir des intérêts dans une entreprise qui pourraient le mettre en conflit avec ceux de la Société. Évidemment les administrateurs d'Hydro-Québec occupent tous cette fonction à temps partiel et ne sont pas rémunérés, à l'exception du président-directeur général et du président du conseil d'administration. Ils sont tous tenus de révéler les intérêts qu'ils détiennent dans une entreprise et de s'abstenir de participer à toute décision la concernant.

À ce premier encadrement juridique se sont ajoutées, au début des années quatre-vingt-dix, des modifications au Code civil. Elles concernent l'obligation pour un administrateur d'agir avec prudence, diligence, honnêteté et loyauté dans l'intérêt de la personne morale — ici, Hydro-Québec ou ses filiales à part entière. Le Code civil interdit également à tout administrateur d'utiliser les biens de la personne morale ou l'information qu'il obtient dans le cadre de ses fonctions à moins qu'il ne soit autorisé à le faire; il l'oblige par ailleurs à dénoncer à la personne morale tout intérêt qu'il aurait dans une entreprise ou une association susceptible de le placer en conflit d'intérêts. En revanche, l'administrateur peut acquérir des droits dans les biens qu'il administre ou contracter avec la personne morale. Au reste, dans plusieurs entreprises cotées à la bourse, c'est une pratique courante que les administrateurs soient détenteurs d'un portefeuille d'actions de l'entreprise. Cela ne s'applique pas sous cette forme à Hydro-Québec, mais nos administrateurs sont tous aussi des clients d'Hydro-Québec. Cependant, lorsque l'actionnaire procède à la nomination des administrateurs d'Hydro-Québec, il évitera de nommer des membres qui, en tant que clients de la Société, entretiennent avec elle une relation d'affaires qui dépasse une certaine moyenne. Cette prudence n'est codifiée nulle part; c'est une mesure d'autodiscipline que le gouvernement s'impose. Évidemment, l'administrateur doit s'abstenir de délibérer et de participer à une décision concernant une entreprise dans laquelle il a un intérêt.

Autre pièce d'encadrement juridique, le règlement adopté à la suite de la Loi sur le ministère du Conseil exécutif qui oblige les sociétés d'État à se doter d'un code de déontologie. Notre code date de 1994 et nous l'avons mis à jour en 1999 pour tenir compte de l'évolution des règles. Je pense notamment à la double rémunération (interdite à tout administrateur à plein temps) et à la charge élective (un administrateur doit dénoncer ou déclarer au président du conseil son intention d'en occuper une). Mais notre code de déontologie vise plus de personnes que celles assujetties à la Loi sur le ministère du Conseil exécutif et aux règlements adoptés en vertu de cette loi. Nous y avons en effet inclus tous les dirigeants de la Société dont la nomination et les conditions d'emploi sont approuvées par le conseil d'administration : le président-directeur général, tous les vice-présidents et vice-présidents exécutifs relevant directement du président du conseil d'administration ou du président-directeur général. En tout, donc, une dizaine de personnes en plus des dix-sept membres du conseil d'administration. Ces personnes sont assujeties aux mêmes règles, notamment en ce qui a trait à l'obligation de remplir annuellement une déclaration d'intérêts.

Notre code comporte des dispositions particulières concernant les intérêts détenus par la famille immédiate de l'administrateur et du dirigeant. Le comité d'éthique et de régie d'entreprise du conseil d'administration conseille l'autorité compétente — le président du conseil d'administration, pour ce qui est des dirigeants, le secrétaire général de la province, pour ce qui est des membres du conseil d'administration — sur l'application et l'interprétation des dispositions du code. Nous avons également, par résolution du conseil d'administration, exigé que toutes nos filiales à part entière — par exemple Hydro-Québec international, la Société d'énergie de la Baie-James — se dotent du même code d'éthique que celui de la société mère. Notre pouvoir d'influence est plus limité quand il s'agit d'une filiale dans laquelle la participation est moindre ou nettement minoritaire.

Revenons aux obligations auxquelles sont assujettis les administrateurs : contribuer à la mission de l'entreprise, respecter les valeurs de l'entreprise, agir avec prudence, diligence, loyauté et honnêteté ; respecter la confidentialité des informations ; obtenir l'autorisation de l'actionnaire, le gouvernement dans notre cas, pour détenir des actions, parts sociales, options, ou autres titres pour bénéficier d'un régime d'intéressement dans une entreprise liée, sauf si la fonction à plein temps et le régime sont basés sur la performance — ce qu'on appelle communément les bonis de rendement.

Par ailleurs, les interdictions imposées à l'administrateur sont les suivantes : ne pas utiliser à son profit les biens et les profits de l'entreprise, ne pas accepter ou solliciter d'avantage pour influer sur une décision, ne pas se laisser influencer par des offres d'emplois dans ses prises de décisions, éviter de se placer en situation de conflit entre son intérêt personnel et les devoirs de sa charge. La double rémunération, on l'a dit, est également interdite.

Le code prévoit certaines dispenses concernant la détention d'intérêts. Les membres du conseil ou les dirigeants d'entreprises peuvent détenir, par exemple, des actions d'une banque. S'il y a une décision ou une recommandation qui est soumise au conseil d'administration qui implique par exemple un immeuble de cette banque-là, on ne considère pas que l'administrateur est en conflit d'intérêts, parce que l'importance de la détention n'est pas suffisante pour placer l'administrateur en situation de conflit d'intérêts. Également, la détention d'intérêts par l'intermédiaire d'un fonds commun en placements ou d'une fiducie sans droit de regard, la détention d'un nombre minimal d'actions d'éligibilité, d'intérêts communs à la population en général, ou de titres émis ou garantis par Hydro-Québec, un des deux gouvernements ou une municipalité, ne sont pas visées par le présent code.

En pratique, chaque nouvel administrateur reçoit le code d'éthique et nous faisons une séance de travail pour le sensibiliser aux obligations et aux responsabilités que la fonction comporte. Puis, dans les soixante jours de sa nomination, il doit remplir une déclaration d'intérêts qui sera mise à jour annuellement. Toutes ces déclarations sont gardées au secrétariat du conseil. Si un administrateur risque de se mettre en conflit d'intérêts en participant à des rencontres où on traite d'un dossier dans lequel il a des intérêts, on ne lui fait pas parvenir les documents afférents et il s'abstient de participer à la réunion ou à la partie de la réunion qui traite du dossier en question. Tout cela est évidemment consigné au procès-verbal. Ceux qui ne respectent pas cette règle s'exposent à être déchus de leur charge et leur cas est soumis par le président du conseil d'administration au secrétaire général de la province.

Finalement, en ce qui concerne le code de conduite qui s'applique aux employés, il a été établi en 1988 à partir de sept grands principes d'éthiques. En 1996, il a été repris dans le cadre d'un large exercice de consultation et de sensibilisation auprès des employés en y intégrant des exemples permettant d'interpréter chacune des sept valeurs énoncées dans nos règles d'éthique. On y expose d'abord le principe, pour ensuite définir ce qu'il est et ce qu'il n'est pas à l'aide d'exemples concrets. Voici les thèmes des chapitres : loyauté, intégrité, respect, protection des informations confidentielles, maintien de la confiance de nos clients, de nos fournisseurs et de nos partenaires.

Une fois par année, nous rendons compte au conseil d'administration de l'application des règles d'éthique incluant un bilan des cas portés à notre attention pour interprétation ou intervention. Évidemment, ce rapport n'inclut pas de renseignements nominatifs; nous devons garder l'anonymat des personnes, car il s'agit souvent de demandes d'information ou d'interprétation d'une règle, sans que la personne soit nécessairement placée en situation de conflit d'intérêts. Il faut assurer la confidentialité et l'anonymat. Cette information, une fois dénominalisée, est donc accessible à l'ensemble des employés.

Le vérificateur général assure également un certain suivi par le biais des vérifications qu'il mène et chaque vice-président, dans une déclaration de conformité déposée auprès de notre vérificateur externe, atteste du suivi du code d'éthique et du code de conduite qu'il a fait dans son unité.

Jean-Pierre Kingsley

L'éthique et le financement des élections : le droit du public de savoir

« Le droit du public de savoir » : tel était aussi le titre de ma présentation du 28 octobre 1999 au comité permanent de la procédure et des affaires de la Chambre qui, au parlement fédéral, examine le projet de réforme de la Loi électorale du Canada. C'est dire toute l'importance que j'y attache à titre de valeur fondamentale du système électoral fédéral et de ses dispositions concernant le financement.

Il est important de noter que je ne me sens pas dans l'obligation de défendre le système fédéral. Mon objectif se borne ici à expliquer ce qu'il est et pourquoi je pense qu'il se conforme à une certaine vision de l'éthique qui prévaut dans la société canadienne d'aujourd'hui. Je préciserai d'entrée de jeu que, même s'il existe plusieurs définitions de l'éthique, j'en suis venu à ma propre conclusion à la lumière de mon expérience.

Je définis l'éthique comme un système de valeurs communes qui régit le comportement privé et public de sorte qu'il ne dépasse pas ce que le public considère comme étant normal et acceptable dans une société ouverte. Il est dès lors clair que l'éthique peut dicter des règles différentes d'une société à l'autre même si elles visent toujours le même objectif. Ces règles ne doivent du reste pas être considérées comme figées dans le temps puisque l'éthique est étroitement liée à l'évolution sociologique, économique, technologique et politique qu'une société peut connaître.

En matière de financement des élections, l'éthique peut se traduire par trois grands principes : l'équité, la participation et la transparence.

L'équité vise à favoriser l'égalité des chances entre candidats et entre partis politiques. Ce principe est à la base de la Loi sur les dépenses d'élection introduite au palier fédéral en 1974 au terme d'une longue réflexion. L'un de ses principaux objectifs consistait à faire en sorte que tous les Canadiens aient une chance équitable de se faire élire quels que soient leurs moyens financiers.

En ce qui concerne le financement électoral, l'orientation retenue pour y arriver est d'imposer un plafond aux dépenses d'élection, aussi bien pour les candidats que pour les partis politiques. Dans le cas des candidats, le plafond est calculé à partir d'un taux prédéterminé pour chaque nom inscrit sur la liste électorale préliminaire de leur circonscription. Un redressement est prévu pour les circonscriptions à faible population ou celles qui sont particulièrement vastes. Lors de l'élection générale fédérale de 1997, le plafond des dépenses d'élection pour les candidats s'élevait en moyenne à 62 624 dollars. Dans le cas des partis politiques, le plafond des dépenses est calculé pour chacun en fonction d'un taux pour chaque électeur dans chaque circonscription électorale dans laquelle il présente un candidat. Lors de l'élection générale fédérale de 1997, le plafond des partis politiques enregistrés présentant des candidats dans chacune des trois cent une circonscriptions s'élevait à 11 348 749 dollars.

En outre, la loi de 1974 interdisait à toute personne autre qu'un candidat ou un parti politique d'engager des frais de publicité électorale. En 1993, le législateur a établi pour de telles dépenses un plafond de 1 000 dollars. Les dispositions de 1974 autant que celles de 1993 ont été jugées inconstitutionnelles (*Coalition nationale des citoyens inc. et Brown* c. *Canada*, Cour du banc de la reine, Alberta, 1984 ; *Sommerville* c. *Canada*, Cour d'appel de l'Alberta, 1996). L'actuel projet de réforme de la Loi électorale du Canada propose un plafond de 3 000 dollars au sein d'une circonscription et de 150 000 dollars à l'échelle nationale.

Le second principe de base est celui de la participation des citoyens au processus électoral — et en particulier au financement électoral. Ce principe est plus qu'important, il est essentiel. La participation volontaire des citoyens est l'objectif fondamental en démocratie, et elle peut se matérialiser tant par le vote que par les contributions financières.

Le système de crédit d'impôt touche directement le financement électoral et il est très important dans cette optique. Il fait en sorte que pour le premier 100 dollars, le crédit d'impôt est énorme puisqu'il s'élève à 75 dollars. Le crédit maximal de 500 dollars est atteint avec une contribution de 1 150 dollars, ce qui favorise les contributions des citoyens ordinaires qui n'ont pas nécessairement de grands moyens. L'étude de William W. Stanbury (1991) produite pour le compte de la Commission royale sur la réforme électorale et le financement des partis révèle que la valeur nominale des crédits d'impôt s'est accrue de façon significative depuis leur introduction, passant de trois millions de dollars en 1977 à 17,5 millions en 1988. On constate qu'un nombre croissant de Canadiens participent au financement électoral.

Le remboursement — partiel — des dépenses d'élection est une autre mesure qui favorise la participation. Contrairement à la législation québécoise, la Loi électorale du Canada ne prévoit pas le versement d'une allocation annuelle aux partis politiques. Les seules allocations annuelles dont ils peuvent bénéficier — et ce indépendamment du fait qu'ils soient enregistrés ou non aux fins électorales — sont celles prévues en vertu de la Loi sur le Parlement du Canada pour tout parti politique ayant au moins douze députés à la Chambre des communes.

Les partis politiques enregistrés ont droit au remboursement de 22,5 % de leurs dépenses d'élection, à condition d'avoir obtenu au moins 2 % des votes valides exprimés à l'échelle nationale ou au moins 5 % des votes valides dans les seules circonscriptions où le parti présentait un candidat. De plus, le législateur réserve à l'usage des partis politiques enregistrés du temps d'antenne en partie gratuit et en partie payant.

Les candidats ont quant à eux droit au remboursement de 50 % de leurs dépenses électorales réelles, jusqu'à concurrence de 50 % de leur plafond, à condition d'avoir recueilli au moins 15 % des suffrages valides dans leur circonscription. Cette exigence avait été invalidée par la cour supérieure du Québec (*Barette et Payette* c. *Canada*, Cour supérieure du Québec, 1992), mais la cour d'appel du Québec a renversé cette décision. Les candidats sont également admissibles au remboursement du montant de leur dépôt de mise en candidature. Dans le but d'éliminer les candidatures dites frivoles, la loi fédérale fixe un dépôt de 1 000 dollars, en plus d'exiger la signature de cent électeurs de la circonscription. Au Canada, seuls le Québec et le Manitoba n'exigent pas de dépôt. La Loi électorale du Canada prévoyait que 50 % du dépôt était remboursé au candidat uniquement à condition qu'il recueille au moins 15 % des suffrages dans la circonscription où il se présentait. Depuis le jugement de la cour de l'Ontario (division générale) invalidant cette disposition (*Figueroa* c. *Canada*, Cour de l'Ontario, Division générale, 1999), c'est la totalité du dépôt qui est remboursée dès lors que le candidat dépose son rapport d'élection dans les délais prescrits.

Enfin, le troisième principe qui sous-tend la législation électorale fédérale est celui de la transparence. C'est en vertu de ce principe que, pour chaque élection, les contributions aux candidats et aux partis ainsi que les dépenses des candidats et des partis font l'objet de rapports qui sont publiés par le directeur général des élections. Ces rapports identifient les donateurs dont la contribution dépasse le seuil de 100 dollars. C'est un régime de limpidité, qui fait en sorte que tout citoyen peut savoir qui a donné, et quel montant chacun a donné.

Les partis politiques doivent produire, en plus des rapports sur leurs contributions et dépenses électorales, un rapport annuel couvrant les contributions qu'ils ont reçues et les dépenses qu'ils ont effectuées en dehors de toute période électorale.

J'ai recommandé que les exigences en matière de rapports s'appliquent également aux associations locales des partis et aux candidats et députés entre les élections. Même si on prétend que la plupart des contributions aux associations locales et aux candidats se font par le truchement des partis, il faut admettre que la limpidité n'est ici pas totale.

Or la transparence — ainsi que la confiance des citoyens dans le système électoral — doit être totale si on veut augmenter ou promouvoir la participation. Les citoyens doivent savoir tout, sans exception, en ce qui a trait au financement.

Au palier fédéral, on a reconnu que les entreprises canadiennes, les syndicats canadiens et les associations canadiennes ont le droit de faire des contributions tout autant que les personnes. On a aussi reconnu le droit de faire des contributions sans plafond imposé par la loi. Cependant, le régime de déclaration publique ou de renseignements publics a fait en sorte qu'un plafond s'est établi de lui-même; je l'appellerais un «plafond de cristal».

En ce qui a trait aux contributions aux partis politiques, on constate que ce plafond se situe à environ 100 000 dollars, qui peut évidemment être dépassé. En moyenne, chez les candidats, ce plafond de cristal — encore une fois, aucunement imposé par la loi — se situe à environ 5 000 dollars. Il y a donc une forme d'autocontrôle et de retenue qui s'est introduite du fait que le public sait qui contribue et à quelle hauteur.

Selon des sondages menés par le passé, de nombreux Canadiens disent qu'ils ne favorisent pas les contributions des entreprises, des syndicats, des associations. Cela se vérifie partout au pays. Pourquoi alors le régime peut-il continuer à les autoriser? La réponse est qu'il y a divulgation publique. En outre, depuis 1998, ces données sont disponibles sur le site web d'Élections Canada. Ainsi, tout le monde peut savoir qui a contribué à la campagne de tel candidat ou de tel parti. Tout est rendu public et cela garantit le respect d'une certaine norme d'éthique. C'est pourquoi la Commission royale sur la réforme électorale et le financement des partis, qui avait été établie justement pour envisager la possibilité d'interdire le financement autre que par les particuliers, n'a pas retenu cette solution.

Divers facteurs entrent en ligne de compte dans la réflexion sur cette question. D'abord, puisque des plafonds de dépenses sont établis, la limitation des contributions n'est pas nécessaire pour éviter la tentation pour un candidat ou un parti de chercher à s'assurer la victoire électorale en dépensant toujours davantage. Ensuite, il faut se rappeler qu'au palier fédéral le financement public des partis et candidats n'intervient que lors d'une élection; il n'y a pas de financement public entre les élections. Comme les Canadiens ne veulent pas augmenter le financement public, la pénurie de fonds qu'entraînerait une limitation des contributions pourrait difficilement être compensée. Or les représentants des partis insistent qu'ils ont des besoins financiers tels qu'ils ne peuvent renoncer à leurs sources de financement actuelles. De plus, ils rappellent que ces sources sont divulguées publiquement. Toutes ces considérations réunies expliquent pourquoi le régime fédéral est demeuré tel qu'il est.

Le principe de transparence est tellement important qu'il a donné lieu, dans le projet de loi C-2, à une tentative bien avisée de cerner le problème de l'intervention des tiers. Les tiers sont des personnes ou des groupes qui ne sont ni des candidats ni des partis et qui interviennent lors d'une élection pour favoriser ou bloquer un candidat ou un parti politique. Aujourd'hui comme toujours, les tiers interviennent malgré certaines restrictions législatives qui n'ont pas fonctionné et qui ont été déboutées par les tribunaux. Les jugements ont fait que les tiers peuvent actuellement intervenir comme ils le souhaitent et dépenser les sommes qu'ils souhaitent. Je vous cite ce que dit la cour suprême dans la cause Libman : «Afin que le régime de plafonnement des dépenses soit pleinement efficace, les limitations doivent s'appliquer à toutes les dépenses électorales possibles, y compris les dépenses des indépendants. En effet, les actions des individus et des groupes indépendants peuvent soutenir directement ou indirectement un des partis ou un des candidats ou candidates et ainsi entraîner un déséquilibre dans les ressources financières permises à chacun des candidats ou candidates ou partis politiques. Tout en reconnaissant leur droit de participer au processus électoral, les individus et les groupes indépendants ne peuvent être assujettis aux mêmes règles financières que les candidats, candidates ou partis politiques et se voir allouer le même plafond de dépenses. Bien que leur voix soit importante, ce sont les candidats, candidates ou partis politiques qui se font élire. La limite financière permise aux indépendants doit donc être plus basse que celle imposée aux candidats, candidates ou partis politiques. Autrement, en raison de leur nombre, l'influence de leurs dépenses sur un des candidats, candidates ou partis politiques au détriment des autres pourrait être démesurée.»

Le projet de loi prévoit que, dorénavant, toute tierce partie — ni parti politique ni candidat — qui veut intervenir dans le processus électoral devra se plier à quelques exigences.

D'abord, si elle a l'intention de dépenser plus de 500 dollars, elle devra s'inscrire auprès du directeur général des élections. Celui-ci s'efforcera de faire connaître au public canadien qui sont ces intervenants dès qu'ils s'inscrivent. Il n'est pas question d'empêcher quiconque de s'inscrire. Aucun pouvoir n'est prévu qui permettrait au directeur général des élections de déterminer qui devrait ou non intervenir. Il s'agit simplement de rendre les choses publiques et d'assurer la limpidité, la transparence.

Deuxièmement, les tiers seraient assujettis à un plafond de dépenses, ainsi que nous l'avons déjà mentionné. S'ils interviennent dans une circonscription, le plafond est de 3 000 dollars. S'ils interviennent dans plusieurs circonscriptions mais avec un but précis, visant un candidat donné dans chaque circonscription, la limite de 3 000 dollars s'applique à chaque circonscription, mais jusqu'à un plafond de 150 000 dollars à l'échelle nationale. Le plafond s'applique aux seules dépenses publicitaires, et non aux dépenses d'organisation, de loyer, de téléphone, de taxis ou d'autres frais du genre.

Finalement, quatre mois après l'élection, ils devront produire des rapports qu'ils présenteront au directeur général des élections. Ils y déclareront leurs dépenses publicitaires — afin qu'une vérification puisse être faite — et ils devront indiquer leurs sources de financement pour toute contribution excédant 200 dollars, en remontant jusqu'à six mois avant l'émission des brefs d'élection. Ainsi, les Canadiens pourront savoir, fût-ce seulement après l'élection, qui a financé les activités de cette tierce partie. Les Canadiens ont le droit de savoir parce que ces tierces parties interviennent nécessairement dans un but précis, celui d'influer sur le processus électoral.

Les Canadiens ont donc le droit de savoir qui veut intervenir durant une campagne électorale. Ce fameux droit de savoir n'est pas lié au principe du financement populaire ni à aucune orientation particulière du système électoral. En démocratie, nous avons le droit de savoir qui tente de nous influencer lorsque vient le moment de déposer notre vote. C'est à mon avis la meilleure façon d'assurer l'éthique dans le système électoral sous les règles actuelles concernant le financement par les personnes morales ainsi que les personnes physiques.

Pierre Lecomte

Les normes de conduite au gouvernement du Canada

Comme les autres pays, le Canada n'est pas à l'abri de la corruption. Que ce soit au niveau fédéral, provincial ou municipal, il arrive que des titulaires de charge publique ou des fonctionnaires se livrent à des activités criminelles : versement et acceptation de pots-de-vin, trafic d'influence, abus de confiance, etc. Cela dit, notre système judiciaire a toujours réussi à contenir le phénomène. Ceux qui sont reconnus coupables de tels délits sont mis à l'amende ou incarcérés.

À cet égard, le Canada fait en effet bonne figure. Selon le dernier sondage de Transparency International, l'organisme non gouvernemental qui établit chaque année un indice des perceptions de la corruption, le Canada arrive cinquième parmi les quatre-vingt-dix-neuf pays sondés. Cela veut dire que les titulaires de charge publique et les fonctionnaires sont assez honnêtes et ne sont pas portés généralement à abuser de leur fonction pour des gains personnels. Un nouveau sondage, effectué par ce même organisme et touchant les dix-neuf plus grands pays exportateurs, place le Canada deuxième parmi les pays dont les sociétés commerciales ont le moins recours aux pots-de-vin pour gagner des contrats.

Cela ne veut pas dire que nous vivons dans une société parfaite où il n'existe aucune pratique répréhensible, loin de là. La corruption au gouvernement se manifeste encore de temps à autre, mais le principal problème semble être d'une autre nature; il réside dans les comportements contraires à l'éthique.

Comme on le sait, les manquements à l'éthique dans le secteur public ont pour effet de miner la confiance de la population envers son gouvernement. Pollara, une importante firme canadienne de sondages et d'études de marché, a mené une enquête à ce sujet en 1998. Ce sondage, qui établit l'indice de la confiance de la population, plaçait les fonctionnaires en quatorzième place, et les parlementaires en vingt-deuxième, sur les vingt-sept professions examinées. Les infirmières, les pharmaciens, les médecins, les enseignants, les agents de police et les professeurs d'université arrivaient en tête de liste. Les représentants politiques et, dans une moindre mesure, les fonctionnaires ne figurent donc pas au haut de la liste des professions qui inspirent confiance aux Canadiens.

La nature humaine étant ce qu'elle est, on prête toujours plus attention aux abus de pouvoir des titulaires de charge publique qu'aux réalisations politiques des gouvernements. C'est ainsi que les Canadiens sont devenus au fil des années de plus en plus intolérants face aux pratiques contraires à l'éthique, comme le favoritisme, les nominations politiques et la distribution d'avantages. Même les tromperies et les mensonges mineurs ne sont plus tolérés.

La population pose fréquemment des questions au sujet des véritables intentions des titulaires de charge publique, de leur intégrité, et des décisions qui semblent être influencées par des intérêts privés plutôt que par l'intérêt public. Une démocratie de même que ses institutions ne peuvent survivre si les gouvernements ne viennent pas à bout du manque de confiance et du cynisme à l'endroit des titulaires de charge publique.

Comment rétablir cette confiance dans nos institutions publiques avant que la population ne se désintéresse complètement de son gouvernement? Comment protéger nos titulaires de charge publique et démontrer qu'ils agissent dans l'intérêt public et non dans leurs propres intérêts personnels ou ceux des membres de leur famille, de leurs amis?

C'est en juin 1994 que le premier ministre Chrétien a nommé le premier conseiller en éthique du Canada dont la tâche est d'administrer le code régissant les conflits d'intérêts des titulaires de charge publique, la Loi sur l'enregistrement des lobbyistes et le code de déontologie des lobbyistes. C'est avec ces moyens que notre bureau travaille à entretenir la confiance du public envers ses titulaires de charge publique et les institutions gouvernementales.

La Loi sur l'enregistrement des lobbyistes a été renforcée en 1995 de manière à obliger tous les lobbyistes à divulguer davantage d'information sur les clients qu'ils représentent, le nom des ministères ou organismes fédéraux avec lesquels ils vont entrer en contact, les techniques de communication utilisées, et à préciser sur quel projet de loi ou sur quel contrat ils cherchent à influer.

Le registre public des lobbyistes, aussi disponible sur internet, a contribué à faire de la transparence du gouvernement un principe fondamental favorisant l'intégrité et l'intérêt public. Il fournit à la population et aux titulaires de charge publique des renseignements sur les personnes qui sont payées pour influer sur les décisions gouvernementales, y compris les anciens titulaires de charge publique qui poursuivent leur carrière dans le secteur privé et les autres personnes pouvant être perçues comme entretenant des liens étroits avec le parti au pouvoir. Il assure bien entendu une certaine légitimité aux activités des lobbyistes. Cette loi doit être revue sous peu par un comité parlementaire.

La Loi sur l'enregistrement des lobbyistes établissait également un code de déontologie d'application obligatoire pour les lobbyistes qui est entré en vigueur en mars 1997. Le Canada est le premier pays à s'être doté à la fois d'un mécanisme d'enregistrement et d'un code de déontologie pour les lobbyistes, qui doivent désormais respecter certaines normes d'honnêteté, de franchise et de professionnalisme dans leurs rapports avec les titulaires de charge publique.

Mais la plus importante responsabilité du conseiller en éthique concerne le code régissant les conflits d'intérêts. Ce code s'applique aux quelque mille deux cents personnes formant le secteur exécutif: les ministres fédéraux (y compris le premier ministre), les membres de leur personnel politique, les secrétaires parlementaires et les hauts fonctionnaires nommés par le gouverneur en conseil dans les ministères, organismes, conseils, commissions et tribunaux fédéraux. À ceux-ci viennent s'ajouter les quelque deux mille titulaires nommés à temps partiel et à qui le conseiller en éthique doit communiquer les principes du code. Le code n'a pas force de loi mais son observance fait partie des conditions d'embauche.

Il ne vise toutefois pas les députés et les sénateurs, qui sont assujettis à différentes règles de la Chambre et du Sénat mais non à un code d'éthique particulier.

Les fonctionnaires, les membres des forces armées et de la gendarmerie royale et les employés des autres agences ou sociétés d'État sont assujettis aux mêmes principes de conduite que les ministres, mais des règles moins sévères s'appliquent dans leur cas. À ce sujet, le secrétariat du Conseil du trésor est en train de passer en revue le code des fonctionnaires et doit y insérer un volet sur les valeurs. Pour les fins de notre discussion, voyons comment ces règles s'appliquent aux ministres et aux autres titulaires de charge publique.

Au gouvernement fédéral, le système est fondé non pas sur des lois nécessitant des mécanismes d'application sévères, mais plutôt sur une série de principes dont sont dérivées un nombre limité de règles visant à encourager les titulaires à prendre des décisions éclairées et éthiques dans leur vie publique et dans leur vie personnelle.

Les deux premiers principes stipulent que les titulaires doivent agir avec honnêteté et organiser leurs affaires personnelles de manière irréprochable. Selon les autres principes, les titulaires de charge publique doivent prendre leurs décisions dans l'intérêt public, compte tenu des circonstances de chaque cas ; ils ne doivent conserver que les intérêts privés qui ne sont pas susceptibles d'être touchés de façon particulière et significative par les décisions gouvernementales auxquelles ils participent ; ils doivent s'abstenir de solliciter ou d'accepter des cadeaux et d'autres avantages, et d'outrepasser leurs fonctions officielles pour accorder des traitements de faveur ; ils doivent éviter de tirer profit de renseignements qui ne sont pas accessibles au public ; ils ne doivent se servir des biens du gouvernement que pour des activités approuvées et ils doivent éviter de tirer un avantage indu de leurs fonctions passées lorsqu'ils quittent le secteur public.

Ces principes, qui reposent avant tout sur la notion d'intégrité, mettent en relief les valeurs sous-jacentes d'honnêteté, d'impartialité, d'équité, de discrétion, de respect et de loyauté dans la défense de l'intérêt public. Quelles que soient les convictions religieuses, culturelles ou morales des titulaires, ces principes représentent les valeurs idéales que le gouvernement entend défendre.

Afin de guider les titulaires de charge publique dans certaines circonstances particulières, le code comprend des mesures visant à soutenir une approche fondée sur la prévention et l'évitement. Ces mesures permettent de prévoir les problèmes avant qu'ils ne se posent et de faire immédiatement quelque chose pour y remédier. Pour qu'elles soient efficaces, cependant, les titulaires de charge publique doivent d'abord fournir au conseiller en éthique, sous le sceau de la confidentialité, une liste écrite de tous leurs biens et placements, leurs dettes, de même que de leurs activités extérieures. Dans le cas des ministres, cette divulgation s'étend au conjoint et aux personnes à charge. Cette divulgation n'est pas sans rencontrer de difficultés puisque les gens ne sont pas habitués à ce que l'on fouille dans leur vie privée.

En ce qui a trait aux fonctionnaires, ils ne sont tenus de divulguer que les biens, les placements, les dettes et les activités extérieures qui pourraient avoir une incidence sur leurs fonctions. Les fonctionnaires ont en effet moins de pouvoirs décisionnels et exercent moins d'influence sur la vie des Canadiens; c'est pourquoi ils n'ont pas à prendre autant de précautions.

Le code énumère ensuite les biens et les placements qui peuvent être conservés et ceux dont le dessaisissement s'impose. Par exemple, les biens personnels, les articles ménagers, les fonds mutuels et les placements à valeur fixe ne posent aucun problème. Les biens qui ne risquent guère de susciter de conflits d'intérêts, par exemple, les propriétés agricoles, les biens immobiliers et les intérêts dans une entreprise familiale qui n'a pas de liens contractuels avec le gouvernement fédéral, peuvent être conservés mais doivent être déclarés publiquement et inscrits dans un registre public.

Il n'est pas permis de détenir des actions d'entreprises cotées à la bourse ou des placements spéculatifs. Ces biens doivent être vendus ou confiés à une fiducie sans droit de regard, gérée sans lien de dépendance. Cela permet d'éviter que les décisions des titulaires de charge publique ne soient influencées par les actions qu'ils détiennent puisque la composition des biens en fiducie ne leur est pas connue.

La participation à des entreprises ayant des liens contractuels avec des ministères et organismes fédéraux — ce qui constitue un intérêt souvent impossible à vendre et donc inadmissible à une fiducie sans droit de regard comme mécanisme de dessaisissement — doit faire l'objet d'une entente de gestion sans droit de regard afin de retirer aux titulaires de charge publique la responsabilité de la gestion courante de ces entreprises. De plus, dans l'exercice de leurs fonctions et responsabilités officielles, les titulaires de charge publique ne peuvent participer à aucune discussion ou décision susceptible d'avoir des répercussions sur leurs avoirs.

Une autre façon de prévenir les conflits est d'interdire aux titulaires d'exercer une profession, de diriger ou d'exploiter activement une entreprise, de conserver ou d'accepter un poste de direction ou d'administration dans une société financière ou commerciale, d'occuper un poste dans un syndicat ou une association professionnelle, ou de se faire payer pour des services de consultants. Ces mesures permettent de démontrer que la loyauté des titulaires de charge publique va d'abord et avant tout à l'intérêt public, et non à de quelconques intérêts extérieurs. Il est permis d'occuper des postes dans des organisations non commerciales, philanthropiques et charitables, à condition de ne pas aider ces organisations dans leurs rapports avec le gouvernement fédéral. Toutes les activités de ce genre doivent être soumises à l'approbation du conseiller en éthique et déclarées publiquement.

Les dispositions du code précisent également les circonstances et les conditions dans lesquelles il est permis d'accepter des cadeaux, des marques d'hospitalité ou d'autres avantages. Les titulaires de charge publique doivent décliner tout cadeau susceptible de les influencer dans l'exercice de leurs fonctions et de leurs responsabilités. Si ces avantages ont une valeur inférieure à deux cents dollars et qu'ils ne risquent pas d'influencer leur bénéficiaire, il n'est pas nécessaire de les signaler au conseiller en éthique, non plus que les cadeaux reçus de membres de la famille et d'amis proches.

Les titulaires de charge publique peuvent également conserver les cadeaux de plus de deux cents dollars reçus à la suite d'une activité ou d'un événement liés à l'exercice de leurs fonctions, à condition que ces cadeaux soient de valeur raisonnable, qu'ils correspondent aux normes habituelles de l'hospitalité et du protocole et qu'ils ne soient pas de nature à soulever des soupçons quant à l'impartialité de celui qui les reçoit. Les cadeaux, marques d'hospitalité et avantages acceptables de plus de deux cents dollars doivent toutefois être divulgués au conseiller en éthique et déclarés publiquement. Bientôt, chez les fonctionnaires, tout avantage qui dépassera la simple expression de courtoisie nécessitera la permission du gestionnaire cadre avant son acceptation, cela afin que le fonctionnaire puisse se défendre contre des accusations éventuelles qui seraient faites en vertu du code criminel.

La dernière partie du code porte sur les mesures applicables aux titulaires de charge publique à la fin de leur mandat. Ces mesures s'appliquent également aux fonctionnaires de la catégorie de la gestion. En vertu de ces mesures, les titulaires ne peuvent pas changer de camp ni tirer profit de renseignements qui ne sont pas du domaine public. Le code prévoit également une période de restriction d'un an (ou de deux ans, dans le cas des ministres) avant qu'ils puissent accepter un emploi ou un poste d'administrateur auprès d'une organisation avec laquelle ils ont eu des rapports officiels directs et importants au cours de leur dernière année en fonction, ou qu'ils puissent représenter une tierce partie auprès de l'organisme gouvernemental auquel ils appartenaient ou auprès d'autres organisations fédérales avec lesquelles ils ont eu des rapports officiels directs et importants au cours de l'année qui a précédé la fin de leur mandat.

En appliquant ces mesures de conformité dès la nomination du titulaire, nous pouvons prévoir les problèmes et les risques avant qu'ils ne surviennent et ainsi prévenir toute situation de conflit. Par conséquent, la participation du titulaire dans le processus décisionnel ne risque pas d'être influencée par des intérêts privés, puisque, lorsque le code est respecté, ces intérêts n'existent tout simplement plus; les biens ayant été vendus ou confiés à une fiducie ou entente de gestion, les activités extérieures éliminées ou étroitement surveillées, tout comme les dettes. C'est cette approche préventive qui est si particulière à notre système et rares sont les pays qui peuvent nous égaler dans ce domaine.

Ce système fonctionne bien dans notre contexte social, politique et économique caractérisé par un régime parlementaire, un système judiciaire indépendant, la liberté d'expression, le respect des droits de la personne et la transparence dans les achats publics. Cependant, un tel système ne servirait probablement à rien dans les pays affligés par une forte criminalité, une corruption généralisée et un marché noir florissant. Dans ces régions, il faut d'abord s'attaquer au problème plus fondamental de la corruption dans les milieux gouvernementaux avant d'introduire des notions comme l'intégrité ou la confiance.

Le simple fait qu'il existe au gouvernement fédéral un cadre d'éthique solide, de même qu'un organisme expressément responsable de fournir des conseils et de la formation à cet égard, n'est pas en soi une garantie qu'aucun titulaire ne commettra jamais d'écart de conduite. Il faut un autre élément essentiel, le plus important d'ailleurs, le leadership. Si nous avons réussi dans une certaine mesure à réduire au minimum les possibilités de conflit d'intérêts, c'est parce que le premier ministre a pris un engagement en ce sens dès son arrivée au pouvoir.

La responsabilité, corollaire du leadership, est aussi un élément important de l'efficacité de tout cadre d'éthique fondé sur la notion d'intégrité. Puisqu'en vertu de notre système gouvernemental, calqué sur celui de Westminster, c'est le premier ministre qui nomme les ministres du cabinet, et que les personnes nommées par le gouverneur en conseil le sont sur sa recommandation, c'est lui qui est l'ultime responsable du bon rendement des membres de son gouvernement. C'est pourquoi il doit leur fixer des normes de conduite élevées.

On ne peut prétendre que la formule en vigueur soit parfaite, mais elle fonctionne bien et donne de bons résultats. Le conseiller en éthique a réussi à répondre aux préoccupations de la population et à écarter les allégations d'écarts de conduite en prenant les devants pour supprimer dès le départ toutes les sources de conflits possibles.

En résumé, la corruption des titulaires de charge publique n'a jamais posé un problème vraiment préoccupant au Canada. Le tort causé aux gouvernements et aux institutions gouvernementales vient plutôt du cynisme de la population, alimenté par les médias et les critiques de l'opposition.

Les codes et les normes de déontologie et les énoncés de valeurs sont ici pour rester; ils sont essentiels pour montrer à la population que les titulaires de charge publique sont tenus de respecter des normes sévères. De plus, ceux-ci doivent savoir où ils peuvent obtenir des conseils et de l'aide pour s'acquitter de leur rôle officiel de manière conforme à l'éthique.

Les codes ne sont toutefois pas suffisants. L'objectif ultime est d'aider les titulaires à prendre de bonnes décisions en tenant compte de l'intérêt public. C'est l'approche qu'a adoptée le gouvernement fédéral; elle inclut des normes appropriées à notre structure gouvernementale et à notre clientèle, un bureau de l'éthique proactif, des chaînes de responsabilité claires, une grande ouverture envers les médias, ainsi que le leadership et le soutien des autorités supérieures. Tout le monde gagne à l'application de normes d'éthique sévères : le gouvernement, les titulaires de charge publique, les institutions publiques, et surtout la population elle-même.

Jean-Pierre Charbonneau

Les règles d'éthique
et les députés de l'Assemblée nationale

Je voudrais tout d'abord rappeler une évidence, pourtant souvent oubliée, sinon mise de côté. La vie politique n'est pas, pour le peuple québécois, que ce qui gravite autour de l'Assemblée nationale. Il y a aussi le gouvernement fédéral, les administrations municipales, les commissions scolaires, sans compter toutes les instances où on retrouve des conseils d'administration formés de gens élus par toutes sortes de corps d'élection. Mais, en ce qui concerne les règles d'éthique qui encadrent notre façon de faire de la politique au Québec, c'est à l'Assemblée nationale que les balises sont les plus claires et les plus strictes.

Avant de préciser leur nature, il faut toutefois savoir que ces règles sont plutôt récentes. Elles datent du règne du premier ministre René Lévesque. C'est en effet en 1982 que des modifications importantes à la Loi de l'Assemblée nationale ont édicté une règle générale d'éthique et des dispositions assez précises concernant les conflits d'intérêts et les incompatibilités de fonctions (art. 57 à 85).

Les règles d'éthique en vigueur à l'Assemblée nationale étaient auparavant beaucoup moins élaborées. En fait, ce n'est qu'en 1888, presque cent ans après la naissance du parlementarisme québécois, que sont apparues les premières dispositions législatives traitant des incompatibilités de fonctions des législateurs au parlement du Québec.

Il fallut par la suite attendre 1915 pour que la question des conflits d'intérêt soit spécifiquement traitée dans la Loi sur la législature. On stipula alors, pour la première fois, les notions de corruption et de falsification de documents, interdisant de «chercher à corrompre un conseiller législatif ou un député, en lui offrant des présents, ou l'acceptation, par l'un d'eux, de présents ainsi offerts». On interdisait aussi de «présenter à l'une ou l'autre Chambre, ou à l'un de leurs comités, quelque document faux ou falsifié, dans le dessein de tromper la Chambre ou le comité».

Ces dispositions sont demeurées pratiquement inchangées jusqu'en 1982. Apparaît alors toute une section intitulée «Conflits d'intérêts» dans laquelle on défend notamment à un député «de se placer dans une situation où son intérêt personnel peut influer sur l'exercice de ses fonctions». Il y est aussi stipulé que dans le cas où l'adoption, la modification ou l'abrogation d'une loi peut favoriser personnellement un député, celui-ci a deux façons d'éviter que sa neutralité puisse être mise en doute: soit de déclarer publiquement cet intérêt avant de prendre part aux débats et de voter sur cette question, soit de s'abstenir de participer aux débats et de voter s'il ne déclare pas publiquement cet intérêt (art. 61 et 62).

Il est également interdit au parlementaire de marchander son opinion ou son vote contre une rémunération ou un avantage susceptible d'influer sur sa position ou son vote sur un projet de loi ou toute autre question soumise à l'assemblée, à une commission parlementaire ou à une sous-commission. En outre, le député ne doit pas prendre avantage pour lui-même ou pour une tierce personne d'une information inaccessible au public obtenue dans le cadre de ses fonctions (art. 63 et 64).

Et il n'est enfin pas permis à un député de participer, directement ou indirectement, à un marché avec le gouvernement, un ministère ou un organisme public, à l'exception de certaines circonstances, prévues par la Loi sur l'Assemblée nationale, où l'intérêt du député ou la possibilité de collusion indue sont minimes (art. 65). Le but de cette dernière mesure est de faire échec non seulement aux abus réels ou probables, mais aussi aux abus possibles et aux situations qui pourraient donner naissance à quelque soupçon de déloyauté.

Le parlementaire contrevenant à l'une des dispositions concernant les conflits d'intérêts devient passible, en vertu de l'article 136 de la Loi sur l'Assemblée nationale et suivant ce qu'en décidera l'Assemblée, de l'une ou plusieurs des sanctions suivantes : la réprimande, une amende, le remboursement des profits illicites, le remboursement des indemnités, allocations et autres montants d'argent reçus comme député pendant la période d'infraction, la suspension temporaire sans indemnité ou la perte de son siège.

Notons que la Loi sur l'Assemblée nationale renferme également plusieurs dispositions relatives aux incompatibilités de fonctions lesquelles permettent de prévenir les situations potentielles de conflits d'intérêts (art. 57 à 63 et 84 et 135).

Une autre amélioration majeure a été introduite en 1982. Jusqu'alors, il était assez difficile d'interpréter les règles existantes et cette tâche d'interprétation revenait au président ou à son premier conseiller en droit parlementaire, le secrétaire général de l'Assemblée nationale. Pour pallier cette difficulté majeure à interpréter la Loi sur la législation, eu égard aux dispositions sur l'éthique, nous avons créé la fonction de jurisconsulte et, par le fait même, nous devenions la première assemblée législative au Canada à créer une telle fonction de « conseiller en déontologie ».

Sur demande écrite d'un député, le jurisconsulte a pour fonction de donner des avis confidentiels relativement à l'interprétation et à l'application des dispositions de la Loi sur l'Assemblée nationale sur les incompatibilités de fonctions et les conflits d'intérêts. En vertu de l'article 81 de la Loi sur l'Assemblée nationale, le député est protégé contre toute incrimination pour des gestes posés s'il a préalablement fait une demande d'avis au jurisconsulte et que cet avis conclut que ces gestes n'enfreignent pas les dispositions législatives pertinentes, à la condition que les « faits allégués au soutien de sa demande aient été présentés de façon exacte et complète ».

La création du poste de jurisconsulte est évidemment un progrès important. Malheureusement, comme la tâche est en bonne partie exercée à huis clos, peu de gens en ont connaissance et les députés eux-mêmes n'y ont pas recours autant qu'ils le pourraient. D'autre part, plusieurs réfléchissent depuis quelque temps à l'idée d'élargir le mandat du jurisconsulte afin d'inclure sous sa juridiction les personnes désignées par l'Assemblée nationale du Québec, les députés ainsi que les membres des conseils municipaux, scolaires et sociosanitaires. Certains, dont l'ancien directeur général des élections, Pierre F. Côté, voudraient même que soit créée une nouvelle commission appelée à superviser les comportements tant des administrateurs publics que des élus. La proposition est loin d'être farfelue et le débat est toujours ouvert.

Tout cela étant dit, il faut admettre que, quelle que soit l'étanchéité de nos règles et de nos lois, il reste et il restera sans doute toujours une zone grise où la morale et l'éthique ne pourront prévaloir que grâce à la conscience aiguë des acteurs de la vie politique eux-mêmes et à celle des gens à leur service immédiat.

La notion de conflit d'intérêts a été définie ainsi par le juge Albert Mayrand, premier jurisconsulte à l'Assemblée nationale : « Est en conflit d'intérêts celui qui, ayant le devoir d'agir dans l'intérêt d'autrui, est placé dans une situation où le manquement à ce devoir favoriserait ses propres intérêts. »

Si l'on pousse la réflexion et la discussion sur le sens des mots « ses propres intérêts », on constate qu'il peut exister plusieurs situations particulières où un élu ou un conseiller politique peut agir en se favorisant lui-même. Ainsi, par exemple, la vie politique place ses acteurs au carrefour de multiples rencontres. La nature humaine étant ce qu'elle est, il se crée des amitiés, des relations plus étroites, des affinités particulières, des chimies. Quand vient le temps de choisir qui l'on écoute, à qui on accorde plus de temps, de crédibilité, de confiance, le fait-on toujours avec la préoccupation éthique de juger sur l'ensemble des opinions, de juger sur le fond et non sur les apparences, les affinités personnelles ou les amitiés à protéger et à favoriser ? Et si la réponse est non, comment en arriver à plus d'éthique de la part des acteurs de la vie politique ?

Au Québec, nous avons cependant un avantage sur toutes les autres législatures canadiennes et sur l'immense majorité des parlements du monde à cet égard. Cet avantage nous est conféré par la Loi sur le financement des partis politiques, introduite en 1977 par le premier ministre René Lévesque et qui limite aux seuls individus le droit de contribuer financièrement aux partis politiques, et ce pour un montant maximum de trois mille dollars par année. Ainsi, grâce à nos mœurs politiques dont les standards sont maintenant parmi les plus élevés au monde, les élus québécois n'ont plus de dettes électorales à rembourser à des sociétés, des compagnies, des centrales syndicales ou à des barons de la finance et de l'industrie. Cela diminue beaucoup les risques de conflits d'intérêts.

Par ailleurs, au-delà des règles et de la menace de pénalités, il y a l'éducation; celle que peuvent faire les groupes politiques et leur entourage; celle que peut faire la présidence de l'Assemblée en tant que gardien et promoteur de l'honneur des membres de la classe politique. La participation à un colloque comme celui-ci et surtout la diffusion de son contenu aux membres de l'Assemblée d'aujourd'hui et de demain est une façon d'amener les acteurs de notre vie politique à devenir, à être et à rester préoccupés par toutes les dimensions et les exigences éthiques de leur noble métier.

La probité et la morale, en politique comme ailleurs, ne peuvent demeurer des valeurs fondamentales que par une constante vigilance à l'égard des conséquences dramatiques de leur absence.

En terminant, je crois qu'il est malsain d'entretenir des préjugés et des opinions qui ne tiennent pas compte des immenses progrès accomplis et de l'énorme moralisation de notre vie et de nos mœurs politiques. On ne peut rien faire progresser ainsi. Peut-on penser qu'il est bon pour la santé de notre vie démocratique qu'une majorité de compatriotes pensent que les députés ont choisi de faire ce métier et le font effectivement pour servir leurs intérêts personnels plutôt que pour servir leurs concitoyens? Plusieurs ont sans doute encore en mémoire une récente enquête Sondagem-*Le Devoir* qui révélait que moins de dix pour cent des Québécois estiment que les politiciens défendent d'abord les citoyens, contre plus de la moitié qui pensent qu'ils défendent d'abord leurs intérêts personnels et près d'un tiers qui croient qu'ils défendent d'abord les intérêts des entreprises.

Un colloque comme celui-ci fera œuvre utile non seulement s'il pousse encore plus loin les réflexions et les prises de conscience, mais aussi s'il évite de tomber dans les pièges caricaturaux de nombreux pourfendeurs d'hommes et de femmes politiques.

Conclusion

Faire face aux défis nouveaux en éthique publique

Le colloque sur l'éthique et les conflits d'intérêts dans l'administration publique a atteint les buts que les organisateurs lui avaient fixés. Nous voulions faire œuvre utile en aidant le personnel de ce secteur à mieux comprendre la notion de conflits d'intérêts (réels ou apparents), à mieux repérer et résoudre les situations problématiques ainsi qu'à tisser des liens avec ceux et celles qui sont plus familiers avec la question.

Très souvent, lorsqu'on évoque la notion de conflits d'intérêts, on imagine l'histoire juteuse du dirigeant qui aurait détourné à ses propres fins des millions des coffres de l'État. De tels délits ont malheureusement toujours lieu, particulièrement là où la démocratie est embryonnaire sinon inexistante. On peut considérer que les mœurs politiques québécoises et canadiennes ont été, à cet égard, grandement assainies. Bien qu'il faille toujours être vigilant, nous nous sommes collectivement donné des moyens et avons adopté des pratiques qui permettent de réduire considérablement les risques de telles fraudes. Les lois sur le financement des partis politiques (1977), sur l'Assemblée nationale (1982), sur l'enregistrement des lobbyistes (1995) et sur l'éthique et la déontologie des administrateurs publics (1997), les codes d'éthique de divers organismes — les établissements de santé ou les commissions scolaires par exemple —, la création de postes de responsabilité éthique, comme ceux de jurisconsulte à Québec et de commissaire à l'éthique à Ottawa, voilà autant d'expressions concrètes de cette préoccupation en éthique publique.

Mais le colloque a surtout montré que l'éthique intéresse fortement un grand nombre d'acteurs de toutes les administrations publiques, du fonctionnaire à l'administrateur d'État en passant par les professionnels et les cadres, sans oublier les députés et les élus des municipalités, des commissions scolaires et du réseau sociosanitaire. Parmi eux, certains ont la responsabilité de veiller à l'éthique dans leur organisation, mais beaucoup d'autres se posent des questions de cette nature et veulent être mieux outillés pour prendre les bonnes décisions et, le cas échéant, sensibiliser leur milieu. Il est souvent difficile de soulever certaines questions éthiques parce que cela implique une remise en question de son rôle au sein d'une organisation, sinon de celui de l'organisation elle-même. D'autant plus que, avec l'assainissement des mœurs politiques, la population exprime des exigences de probité beaucoup plus grandes envers ses élus et ses administrateurs. Ce n'est plus seulement la femme de César qui doit être au-dessus de tout soupçon, mais également tout prêteur, tout questeur, tout vigile, tout fonctionnaire. On leur demande certes d'être honnêtes et loyaux, mais aussi de ne pas se placer dans une situation où leur intérêt personnel pourrait influer sur leur fonction. Il est alors salutaire de s'apercevoir que d'autres ont des soucis similaires et de partager avec eux. On peut ainsi se sentir un peu moins seul.

Il peut arriver qu'un employé de l'État soit aux prises avec un dilemme éthique et qu'il doive faire un choix déchirant entre la loi qui lui est imposée et sa conscience qui lui dicte la conduite à suivre pour mieux servir le bien commun. Certains ont voulu y voir le conflit entre, d'un côté, un modèle de gestion neutre et technique au service de la hiérarchie politique ou bureaucratique, gestion basée sur des normes externes et des contrôles comme les lois, les règles, les codes; et, de l'autre côté, un modèle où les conduites découlent de normes et de valeurs intériorisées (voir G. B. Adams et D. L. Balfour, *Unmasking Administrative Evil*, 1998).

À n'en pas douter, les crises peuvent permettre à la conscience de s'éveiller en lui faisant éprouver dans toute son existence la nécessité de choisir entre divers biens, car c'est de cela qu'il s'agit habituellement.

Des spécialistes du management insistent sur ces facteurs existentiels pour expliquer et résoudre les crises organisationnelles (T. Pauchant, *La quête du sens*, 1996). Mais ce serait simplifier à outrance la réalité que d'opposer ainsi la conscience à la loi. La conscience elle-même est tributaire d'une histoire marquée par des liens avec des personnes, des organisations et tout un ensemble de valeurs. Elle doit tenir compte des normes et des valeurs du groupe professionnel auquel l'employé appartient, de celles de son équipe, son service ou son ministère. L'employé de l'État devrait normalement adhérer, ne l'oublions pas, à une même mission : servir les citoyens. Tous ces éléments ont leur importance quand il s'agit de prendre une décision éthique comme l'a admirablement montré H. F. Gortner (*Ethics for Public Managers*, 1991).

Nous voyons donc que, malgré tous nos efforts structurels, aussi importants et nécessaires soient-ils, il demeure des zones d'ombre que le souci de l'éthique publique peut contribuer à éclairer. Madame Lise Bissonnette et Monsieur Pierre Lucier ont mentionné l'importance de la culture et de l'éducation. Il nous semble indéniable que, sans des bases morales individuelles solides acquises dans la famille et à l'école et entretenues par la diffusion d'œuvres culturelles de qualité, nous serons condamnés à un travail de rattrapage. Il existe une tendance lourde à l'individualisation, à la recherche unique de son bien-être individuel. Nous nous devons de ramener à l'avant-scène les valeurs collectives et de nous assurer que tous assument leur rôle comme membres de la société. Comme le soulignait si bien John F. Kennedy, ne nous demandons pas ce que notre patrie peut faire pour nous, mais plutôt ce que nous pouvons faire pour elle.

Monsieur Guy Breton nous a aussi enjoint de promouvoir une formation adaptée en éthique pour les administrateurs publics. Pour bien des fonctionnaires, a-t-il rappelé, le fait de confier certains contrats à des proches sans un processus de soumission ne pose pas de problème éthique. Le besoin de formation paraît donc évident. Il a aussi indiqué qu'actuellement rien ne régit l'après-carrière d'un fonctionnaire.

En outre, la notion d'intérêt personnel peut dépasser les seuls aspects financiers, comme Monsieur Jean-Pierre Charbonneau le mentionnait. Les individus désirent obtenir des promotions, être réélus, être appréciés. Ces intérêts personnels peuvent parfois entrer en conflit avec ceux de la collectivité que les élus et les fonctionnaires doivent servir. On ne peut pas et on ne doit pas essayer de nier ces réalités ni demander aux décideurs de s'exclure de leurs cercles d'amis et de renoncer toujours à tout pour ne pas être en situation conflictuelle. Afin de limiter ces problèmes, notre société a cherché, dans la mesure du possible, à faire coïncider les intérêts personnels et les intérêts collectifs. Ainsi, celui qui veut se faire réélire doit, par ses actions, favoriser le bien-être collectif puisque c'est la collectivité qui l'élit. Même l'ambitieux doit viser le bien commun puisque notre système de promotion est basé sur le mérite. Par ailleurs, nous nous sommes donné des règles diverses pour contrer le népotisme et le favoritisme. La transparence et la reddition publique de comptes contribuent à cet assainissement des mœurs et contribuent, selon nous, à la diffusion de valeurs éthiques.

Il n'en demeure pas moins qu'on peut s'interroger parfois sur la valeur réelle de ces mécanismes automatiques de recherche du bien commun. En effet, il arrive que l'électeur soit myope et concentre son attention sur ce qui le préoccupe particulièrement. Ainsi, des décisions favorables à un certain nombre de lobbys peuvent favoriser une réélection même si globalement elles vont contre le bien-être collectif. La réalité sociopolitique ouvre la porte à ces situations puisque, très souvent, le décideur aura le choix entre, d'un côté, accorder une faveur à un petit groupe contre des charges, fiscales ou autres, assumées par l'ensemble de la population et, de l'autre, contraindre un petit groupe pour pouvoir améliorer légèrement la situation d'un plus grand nombre. Il est extrêmement délicat d'essayer de déterminer personnellement ce qui doit être fait dans de tels cas puisqu'il ne faut pas oublier que les politiciens ont notamment été élus pour équilibrer les rapports de force entre les groupes sociaux et corriger des injustices.

Un autre défi mentionné par Monsieur Louis Bernard est celui de la profonde transformation récente de la fonction publique, à laquelle nous convient les gouvernants actuels. «Le but de cette réforme est de permettre à l'administration québécoise de fournir de meilleurs services aux citoyens et aux entreprises en axant sa gestion sur les résultats plutôt que sur les moyens, en responsabilisant davantage les fonctionnaires et en leur conférant plus de liberté d'action, mais également en les rendant directement et publiquement imputables de leur gestion.» La confiance que se sont méritée progressivement les fonctionnaires dans leur administration permet maintenant aux gouvernants d'envisager la mise en place progressive d'un tel système basé essentiellement sur la liberté d'action et l'imputabilité des gestionnaires.

Il semble donc évident que bien des questions importantes pour l'administration publique nécessitent un investissement éthique de tous. Que pouvons-nous faire? De quels moyens disposons-nous? Certains, dont Monsieur Jean-Pierre Charbonneau, ont déjà suggéré d'élargir le mandat du jurisconsulte afin d'inclure sous sa juridiction l'ensemble des élus politiques relevant de l'Assemblée nationale, les députés ainsi que les membres des conseils municipaux, scolaires et sociosanitaires. D'autres sont allés plus loin en suggérant la mise sur pied d'une commission d'éthique indépendante et redevable à l'Assemblée nationale (par exemple, Michel Dion, *L'éthique gouvernementale*, 1997, p. 28 et 389-416). D'autres encore considèrent que l'Assemblée nationale devrait adopter une loi similaire à la loi fédérale sur l'enregistrement des lobbyistes et que le parlement fédéral aurait avantage à s'inspirer de la législation québécoise concernant les conflits d'intérêts des législateurs. Enfin, certains préconisent des modifications importantes aux règles concernant le financement des partis politiques et des élections à tous les échelons. La pertinence de ces moyens institutionnels doit être débattue publiquement et ultimement déterminée par les élus. Des modifications permettraient peut-être de leur faciliter la vie en circonscrivant bien leurs actions et les actions de ceux qui veulent agir sur les choix publics. D'autres modifications pourraient contribuer à accroître la confiance des citoyens envers leurs élus.

Il n'en demeure pas moins que tous sont appelés à faire œuvre éthique. La poursuite du bien n'est pas et ne doit pas être l'apanage exclusifs des institutions. C'est pourquoi l'émergence d'un réseau d'éthique publique au service des employés de l'État nous paraît hautement souhaitable dans le contexte actuel. L'animation de ce réseau pourrait associer le monde universitaire, les professionnels du management, les représentants du secteur public et un partenaire non gouvernemental ayant une compétence particulière en éthique. L'objectif d'un tel réseau devrait être de stimuler l'intérêt pour l'éthique publique en favorisant des rencontres plus ou moins officielles, en coordonnant diverses activités de formation, en favorisant la recherche et la publication. La mise en commun de certaines ressources (en personnel et en argent par exemple) et la création d'un site web peuvent être des moyens utiles pour y arriver. Un tel projet nous semble non seulement opportun, mais nécessaire pour optimiser la gestion publique. Le Centre d'études Noël-Mailloux en éthique et en psychologie est prêt à apporter sa modeste contribution à un tel réseau.

ANDRÉ G. BERNIER
FRANÇOIS POULIOT

Notices

Louis BERNARD. Avocat et membre du Barreau du Québec, il a fait des études en droit qui l'ont mené au London School of Economics and Political Science pour un doctorat, puis il occupe d'importantes fonctions administratives et politiques. Il est notamment chef de cabinet du premier ministre (1976) et secrétaire général du Conseil exécutif (1978-1985). Il a été vice-président de la Banque Laurentienne. Il accepte d'assumer de nouveau les fonctions de secrétaire général du Conseil exécutif pour assurer la transition du gouvernement en 1994-1995. Depuis 1998, il est président de Louis Bernard Consultant inc. Le gouvernement a fait appel de nouveau à ses services comme négociateur spécial avec les Mohawks et les Innus-Montagnais. Ses fonctions de secrétaire général associé à la réforme électorale et parlementaire (1977) et de président du groupe de travail sur les processus d'octroi de contrats du gouvernement (1989-1990) témoignent de son intérêt pour l'éthique dans l'administration publique. Il a reçu la médaille d'or Vanier de l'Institut d'administration publique du Canada.

Lise BISSONNETTE. Bachelière en pédagogie et licenciée en sciences de l'éducation, elle est bien connue pour sa longue et prestigieuse carrière journalistique principalement au journal *Le Devoir*, dont elle a assuré la relance comme directrice. Elle est l'auteur de *La passion du présent, Marie suivait l'été, Choses crues* et *Quittes et doubles, Scènes de réciprocité*. Ses multiples talents lui ont valu de nombreux honneurs dont cinq doctorats *honoris causa*. Elle est actuellement présidente-directrice générale de la Grande Bibliothèque du Québec.

Guy Breton. Vérificateur général du Québec depuis décembre 1991, il a une vaste expérience en vérification, tant dans le secteur public que privé. Il est fellow de l'Ordre des comptables agréés du Québec (1989) et de l'Ordre des administrateurs agréés du Québec (1999). Il a été membre du comité de direction et du bureau de l'Ordre des comptables agréés du Québec. Il est gouverneur de la Fondation canadienne de la vérification intégrée, et membre du comité des normes de certification de l'Institut canadien des comptables agréés et du comité de l'intérêt public et d'intégrité de ce même organisme.

Jean-Pierre Charbonneau. Bachelier en criminologie de l'université de Montréal, il a longtemps été journaliste d'enquête au *Devoir* et *La Presse*, où il s'est occupé notamment du monde interlope et de la corruption policière et politique. Il est député du Parti québécois de 1976 à 1989, puis s'occupe de projets d'aide internationale concernant l'Afrique et s'implique dans Oxfam-Québec et Amnistie internationale. En 1994, il est réélu député, puis il devient en 1996 président de l'Assemblée nationale. Le 2 mars 1999, il est le premier président de l'Assemblée nationale à être élu au scrutin secret. Il préside plusieurs associations parlementaires nationales et internationales. Il est aussi vice-président de l'Assemblée parlementaire de la francophonie sur le plan international et président de la section du Québec de cette même assemblée.

Louis Côté. Détenteur d'un baccalauréat en sociologie ainsi que d'un certificat en journalisme de l'université Laval et ayant réalisé une scolarité de maîtrise à l'École nationale d'administration publique, il œuvre en communication depuis vingt ans. Tout d'abord comme conseiller auprès du président du comité patronal de la négociation dans le secteur de l'éducation et ensuite pour Optimum, une filiale intégrée de Cossette, où il occupe successivement les postes de chargé de projets, de superviseur et de directeur général. Depuis dix ans, il est vice-président exécutif de Cossette Communication-Marketing (Québec).

Pierre F. Côté. Avocat, conseiller de la reine (c.r.), il est désigné en 1978 à l'unanimité par l'Assemblée nationale directeur général des élections du Québec. En plus de l'administration des élections, il a surveillé le financement des partis politiques et le contrôle des dépenses électorales. Il a présidé la commission de la représentation électorale, chargée de la délimitation des circonscriptions électorales. Ses fonctions s'étendaient aussi au domaine municipal. Il a pris sa retraite en 1997. Il est membre du Council on Governmental Ethics Laws (Cogel), officier de l'Ordre de la Pléiade et officier de l'Ordre national du Québec. Il est actuellement vice-président de la Fondation communautaire du Grand Québec, président de la Société de géographie de Québec et membre de l'exécutif des Amis du Musée du Québec.

Bernard Dagenais. Détenteur d'un doctorat en communication de l'université de Paris, il est professeur titulaire au département d'information et de communication de l'université Laval. Il a été, entre autres, directeur des communications aux ministères de l'Éducation, des Affaires intergouvernementales, de l'Énergie, et au Conseil supérieur de l'éducation. Il a œuvré dans l'organisation des jeux olympiques de Montréal, à la délégation générale du Québec à Paris et à l'exposition universelle de Montréal. Il est l'auteur de nombreux ouvrages et articles sur les communications. Il a été pendant plusieurs années maire de Sainte-Pétronille.

Alban D'Amours. Détenteur d'une maîtrise en économie de l'université Laval, il a fait ses études de doctorat à l'université du Minnesota. Il a enseigné et a été directeur du département d'économique de l'université de Sherbrooke. À plusieurs reprises, le gouvernement du Québec a fait appel à ses services, entre 1981 et 1986, comme sous-ministre du Revenu et sous-ministre associé à l'Énergie et, plus récemment, il a présidé la table de consultation sur l'énergie au Québec ainsi que la commission sur la fiscalité et le financement des services publics. Il est aussi président du centre hospitalier universitaire de Québec (CHUQ). Après avoir été inspecteur et vérificateur général du mouvement des caisses Desjardins, il a été élu (février 2000) président du mouvement.

Jacques Dufresne. Détenteur d'un doctorat de philosophie de Dijon, il a été professeur puis administrateur au collège Ahuntsic. Il y a fondé la revue *Critère* qu'il a dirigée pendant dix ans. En 1984, il a fondé, avec Hélène Laberge, L'Agora, recherches et communications inc. Son entreprise a organisé de nombreux colloques et édite depuis 1993 la revue *L'Agora*. Elle diffuse aussi L'Encyclopédie de l'Agora sur le site web www.agora.qc.ca. Jacques Dufresne a également publié de nombreux ouvrages, dont *La démocratie dans le monde*, *La démocratie athénienne, miroir de la nôtre* et tout récemment *Après l'homme… le cyborg?*

Pierre Giroux. Membre du Barreau du Québec depuis 1977, associé de l'étude Tremblay, Bois, Mignault et Lemay, il œuvre plus particulièrement en droit administratif et constitutionnel. Il est actuellement conseiller juridique du vérificateur général du Québec et procureur conseil du directeur général des élections du Québec. Coauteur d'un ouvrage intitulé *Les contrats des organismes publics québécois* (1988), il a également publié plusieurs articles sur des questions relatives au droit public et administratif ainsi que sur l'adjudication de contrats par appel d'offres. Il fait partie du comité de discipline du Barreau du Québec.

Isabelle Hachey. Après avoir été rédactrice en chef du *Montréal Campus*, le journal des étudiants de l'université du Québec à Montréal, elle a fait du journalisme pour *Le Devoir*, *Québec Science*, *L'Actualité* et *Voir*. Depuis 1997, elle est journaliste au quotidien *La Presse* et a retenu l'attention du public par sa série d'articles publiés en 1999 sur les mœurs électorales. Elle a étudié en journalisme à Jonquière et en science politique à l'université du Québec à Montréal.

Pierre Marc Johnson. Avocat et médecin, il a été de 1976 à 1987 député à l'Assemblée nationale. Avant de devenir premier ministre du Québec, il a occupé plusieurs postes ministériels. Avocat-conseil au cabinet Heenan Blaikie de Montréal, il y pratique les négociations commerciales. Plusieurs organismes des Nations unies et d'autres institutions internationales dont le G-7 et la Commission nord-américaine de coopération environnementale ont fait appel à ses compétences dans les domaines de l'environnement et du développement international. Il a rédigé de nombreux articles touchant les politiques publiques internationales. Il est coauteur avec André Beaulieu de l'ouvrage de référence *The Environment and Nafta: Understanding and Implementing the New Continental Law*. Il est membre de nombreux conseils d'administration. Il a été reçu fellow de la Société royale du Canada en 1995.

Jean-Pierre KINGSLEY. Titulaire d'un baccalauréat en commerce et d'une maîtrise en administration hospitalière de l'université d'Ottawa, il a œuvré dans l'administration hospitalière et la haute fonction publique fédérale. En 1987, il est devenu sous-registraire général adjoint au ministère de la Consommation et des Affaires commerciales où, entre autres, il a administré le code relatif aux conflits d'intérêts concernant les ministres, les secrétaires parlementaires et les employés nommés par le gouverneur en conseil. Il a été nommé directeur général à Élections Canada en 1990. Dans ce mandat, il a mis en place plusieurs réformes, dont le registre national des électeurs (liste électorale permanente), l'informatisation de tous les aspects du processus électoral et la géocartographie numérisée.

Luc LAVOIE. De 1976 à 1986, il a été correspondant national successivement pour La Presse Canadienne et le réseau TVA et a collaboré à de nombreux autres médias. Il est élu deux fois président de la tribune de la presse parlementaire nationale. Par la suite, il dirige le cabinet de deux ministres fédéraux et occupe les fonctions de directeur de cabinet adjoint du premier ministre du Canada. Il fut le commissaire général du Canada lors de l'exposition universelle de Séville. Plus tard, il intégre le cabinet de relations publiques National à titre de vice-président exécutif du bureau d'Ottawa. Il occupe maintenant les mêmes fonctions à Montréal. Depuis son arrivée à National, il a conseillé quelques-uns des plus importants chefs d'entreprises et décideurs en Amérique et a joué un rôle clé dans certains dossiers parmi les plus chauds du continent.

Pierre LECOMTE. Diplômé en commerce et en administration publique des universités d'Ottawa et Carleton, il a travaillé dans plusieurs ministères et organismes fédéraux. Depuis 1984, il a occupé divers postes au sein du bureau du sous-registraire général adjoint, devenu aujourd'hui le bureau du conseiller en éthique, qui, en plus des questions de conflits d'intérêts, est responsable de l'enregistrement des lobbyistes et de l'application de leur code de déontologie. Pierre Lecomte est le directeur de la planification stratégique, responsable pour les politiques, la procédure et la formation; il est conseiller aux ministres pour leurs dispositions personnelles et est le représentant du bureau relativement aux rapports avec les ministères, les agences et les organismes de l'extérieur du gouvernement.

Pierre LE FRANÇOIS. Diplômé en science politique, il a été sous-ministre de plusieurs ministères québécois dont les Affaires intergouvernementales, le Loisir, la Chasse et la Pêche et la Santé et les Services sociaux. De 1986 à 1994, il a été le secrétaire général et premier fonctionnaire de la ville de Montréal. Il a œuvré dans plusieurs pays dont la Côte-d'Ivoire, le Maroc, le Mali, la Turquie et récemment la Russie. En 1974, il a été directeur général de la Superfrancofête.

Il est actuellement président de la Société de partenariat et de coopération, une entreprise de Montréal spécialisée dans le conseil stratégique et le développement de partenariats. Il est en outre membre du conseil d'administration du Conseil canadien pour le partenariat public-privé et président de l'Institut québécois pour le partenariat public-privé.

Pierre LUCIER. Diplômé en philosophie et en théologie et docteur d'État de l'université des sciences humaines de Strasbourg, il a enseigné au collégial et dans les deux universités francophones de Montréal. Sous-ministre adjoint de l'Éducation en 1980, il occupe à partir de 1984 la présidence du Conseil supérieur de l'éducation et du Conseil des universités et est sous-ministre de l'Enseignement supérieur et de la Science et sous-ministre de l'Éducation. Il est actuellement le président de l'université du Québec. Il a publié environ cent cinquante titres, dont un ouvrage sur l'empirisme logique, des écrits et des articles traitant de culture, d'épistémologie, d'éducation, de systèmes éducatifs, d'évaluation institutionnelle et d'enseignement supérieur.

Marie-José NADEAU. Détentrice d'une licence en droit et d'une maîtrise en droit public avec concentration en droit constitutionnel de l'université d'Ottawa, elle est membre du Barreau du Québec. Après avoir exercé les fonctions de vice-présidente exécutive aux ressources humaines d'Hydro-Québec, elle est maintenant vice-présidente aux affaires corporatives et secrétaire générale de cette société d'État. À ce titre, elle est responsable des affaires juridiques, des communications, des affaires gouvernementales et institutionnelles, de la sécurité industrielle ainsi que du secrétariat du conseil d'administration d'Hydro-Québec et de ses filiales.

Marcel PROULX. Maître en science politique de l'université Laval et docteur en sociologie de l'Institut d'études politiques de Paris, il est directeur de l'enseignement et de la recherche à l'École nationale d'administration publique. Il y enseigne depuis 1976 principalement la sociologie des organisations et l'utilisation de la démarche sociologique à des fins de diagnostic organisationnel. Il a en outre participé à la formation de cadres de la fonction publique. Ses intérêts de recherche l'ont surtout mené à se pencher sur le management des organisations publiques, particulièrement la fonction publique québécoise. Il s'intéresse au vécu quotidien des membres de l'organisation en privilégiant la dynamique informelle de l'organisation. Les concepts de pouvoir et de culture organisationnelle constituent de ce fait ses principaux outils d'analyse.

Bernard TREMBLAY. Détenteur d'un baccalauréat et d'une maîtrise en droit public et membre du Barreau du Québec, il œuvre à la Fédération des commissions scolaires du Québec depuis 1990 à titre de conseiller juridique. Dans le cadre de ses fonctions à la Fédération, il se spécialise dans les questions de relations du travail et de droit scolaire. Son intérêt pour la question de l'éthique l'a conduit à organiser en 1998 un colloque sur l'éthique et la déontologie en éducation de concert avec la faculté de droit de l'université Laval auquel ont participé une centaine de personnes du réseau scolaire.